Délits d'opinion

Chroniques d'humeur… et rien d'autre

Du même auteur :

RÉVEILS MUTINS I, Les Intouchables, 1998.

RÉVEILS MUTINS II, Lanctôt éditeur, 2000.

François Parenteau

Délits d'opinion

Chroniques d'humeur… et rien d'autre

Préface de François Avard

LANCTÔT
ÉDITEUR

LANCTÔT ÉDITEUR
4703, rue Saint-Denis
Montréal, (Québec) H2J 2L5
Téléphone : (514) 680-8905
Télécopieur : (514) 680-8906
Adresse électronique : info@lanctot-editeur.com
Site Internet : www.lanctot-editeur.com

Illustration de la couverture : Éric Godin
Mise en pages et conception de la couverture : Roxane Vaillant
Révision : Élyse-Andrée Héroux

Distribution : Prologue
Téléphone : (450) 434-0306 / 1-800 363-3864
Télécopieur : (450) 434-2627 / 1-800 361-8088
Distribution en Europe : Librairie du Québec
30, rue Gay-Lussac
75005 Paris, France
Télécopieur : 01 43 54 39 15
Adresse électronique : liquebec@noos.fr

Nous remercions le ministère du Patrimoine canadien et le Conseil des Arts du
Canada de l'aide accordée à notre programme de publication. Nous remercions
également la SODEC, du ministère de la Culture et des Communications du
Québec, de son soutien. Lanctôt éditeur bénéficie du Programme de crédit
d'impôt pour l'édition de livres du gouvernement du Québec, géré par la SODEC.

À Joël, ce génial « onomatopiste »
– le mot est de lui – qui sait meubler comme personne les petits
silences entre les phrases.

À Francine, Richard, Annie, Ève
et tous les autres pour les rires et les sourires.

À Sylvie, qui m'a relevé au moment
où j'étais le plus secoué.

À Claudette, Stéphanie et Lorraine…

À Christian, pour ton amitié
et ta solidarité sans pareille.
Ça prenait des couilles.
Un grand coup de chapeau, man.

Enfin, à vous tous, qui avez pris le temps d'écrire pour exprimer
votre appréciation et votre appui.
Un gros merci.

Préface

L'irritant Parenteau

Parenteau est *fatiquant*. Pourquoi ne se tait-il pas? C'est facile, vouloir changer le monde. C'est à la portée de tous, vouloir changer le monde. Mais le monde, c'est pas mal plus *tof* de l'endurer comme il est. Pourquoi ne choisit-il pas d'endurer les injustices? Pourquoi ne baisse-t-il pas pavillon devant la cupidité, la lâcheté ou la voracité des hommes? Pourquoi ne se résigne-t-il pas devant la résignation générale? Sa vie serait si simple! Car il a du talent, le bougre! Pourquoi ne décide-t-il pas de fermer sa gueule et de faire de l'humour comme tout le monde?

Parenteau m'*énarve*. Je suis paresseux et il me le rappelle sans cesse en réfléchissant à ma place, en torturant un événement en apparence banal, en l'expurgeant de ses lieux communs et en ne m'en servant que l'essence du sens. Il m'*énarve* parce qu'il me met devant mes contradictions, devant ma lâcheté et devant mes abandons. Il me rappelle que le monde est imparfait et que, sans le vouloir, je participe à perpétuer cette imperfection. C'est très culpabilisant.

Ma psy me suggérait de ne plus écouter Parenteau. Pour mon bien. Je la cite : « N'écoutez plus Parenteau, monsieur Avard. Pour votre bien. » Radio-Canada s'en est chargée à ma place. La bienveillante société d'État a congédié Parenteau. Pour le bien d'on ne sait qui. Et moi, depuis, je ne peux pas dire que je vais mieux. Ce n'est pas toujours possible d'être drôle et de dire quelque chose en même temps. Ce n'est pas toujours possible de dire quelque chose et d'être drôle en même temps. Pourtant, Parenteau réussit souvent l'un et l'autre. Baisse jamais les bras, François… mais viens pas te plaindre. T'avais juste à choisir les voies faciles.

François Avard
Montréal, janvier 2005

Avant-propos

Délits d'opinion est un recueil de chroniques (et de bouts de chroniques) que j'ai livrées à l'émission *Samedi et rien d'autre* animée par Joël LeBigot, entre mai 2000 et décembre 2005, juste avant que la direction de la radio de Radio-Canada ne me signifie mon congédiement.

Un peu d'histoire

La première fois que j'ai été invité à réaliser des billets radiophoniques, c'était en 1995 à l'émission *Péchés mignons*, animée par Martin Larocque (un vieux *chum* d'impro du temps du cégep), le samedi avant-midi, à la radio de Radio-Canada. C'est la réalisatrice Isabelle Tanguay qui avait eu cette idée après avoir vu mes reportages au cours de *La Course Destination-Monde* en 1994–1995. Elle avait déduit de mes topos que je serais plus dans mon élément devant un micro que derrière une caméra… Elle avait bien raison !

À *Péchés mignons*, j'ai présenté un billet pour chaque péché capital (on s'est sans doute dit que je devais m'y connaître en la matière). Je m'étais gardé pour le dessert le péché de la Colère, où je me suis permis de me choquer contre plein de choses qui me fâchaient. Après, j'avais confié à Martin Larocque que mon fantasme aurait été de pouvoir faire une «colère» par semaine.

En 1997, Martin revenait à l'animation à la barre de *Réveille-Martin*, le samedi matin. Et il m'a offert de réaliser mon fantasme radiophonique. Ce fut le début de mon travail de billettiste à la radio. Au début, donc, mes billets étaient des «colères». J'ai par la suite varié le ton de chaque chronique parce que la colère permanente ne veut plus rien dire, mais en gardant toujours la même motivation: trouver le sujet d'actualité qui m'inspirait le plus et dire ce que j'en pensais d'une façon personnelle, sur le ton de l'humour ou de l'humeur. Mais toujours dans le but de créer un moment de radio, un numéro original. C'est ce qu'on me demandait de faire.

Puis, Joël LeBigot est revenu à la radio de Radio-Canada et on lui a confié l'émission du matin en fin de semaine. C'était une toute nouvelle équipe, avec des vieux complices de Joël comme Francine Grimaldi et Richard Garneau, entre autres, ainsi que Jacques Bouchard à la réalisation. À mon grand plaisir, on m'a offert de faire partie de cette équipe, de continuer à présenter des billets le samedi matin. Ce que j'ai fait avec bonheur pendant plus de sept ans.

Je sais bien qu'avoir l'occasion d'exprimer librement son opinion à l'antenne d'une chaîne publique est un grand privilège. En contrepartie, j'avais la responsabilité de rendre ça intéressant et aussi, m'a-t-on informé, de me montrer prudent puisque nous étions à Radio-Canada. Je n'ai jamais caché mes opinions, mais j'ai sincèrement essayé de faire attention, de ne pas toujours traiter de sujets potentiellement sensibles, de ne pas dire de faussetés, de ne pas faire bêtement la propagande de mes convictions personnelles. Il fallait un sourire, une image qui frappe, un angle nouveau.

Avec le temps me sont venus de plus en plus d'échos positifs du public. J'avais l'impression de m'adonner à une sorte d'artisanat radiophonique et de faire partie d'une émission à nulle autre pareille. Ainsi, quand la direction de la radio m'a averti il y a près d'un an que ce que je faisais ressemblait «trop à de l'éditorial», j'ai été surpris. J'ai réellement tenté, sans changer ce que je pensais, de corriger le tir, d'éviter certaines chroniques trop emportées. Personne ne m'en ayant reparlé, j'ai cru que les ajustements avaient été satisfaisants. Il faut dire qu'il était difficile pour moi seul de réparer quelque chose qui, à mes yeux, n'était pas brisé… Jamais personne ne m'a dit en quoi précisément j'avais erré, quel billet avait posé problème, laquelle de mes opinions avait été inconvenante.

Il paraît qu'il y a eu un «glissement» dans mon travail. Au fil des ans et des changements de gouvernement, malgré les variations de ton d'une chronique à l'autre et des sujets parfois plus *touchy* politiquement qui se sont imposés, je n'ai jamais prétendu faire autre chose qu'un billet d'humour et d'humeur. Le seul glissement que j'ai pu constater, c'est dans la perception qu'on a eue de moi à la direction de la radio.

À ce sujet, j'ai entendu bien des rumeurs, mais je ne peux que répéter ce que j'ai dit à l'émission *Maisonneuve en direct*: la décision de mon congédiement, qui survient en pleine campagne électorale, me semble motivée par un arbitraire gênant et un *timing* douteux. Alors voilà, je ne ferai plus de billets à Radio-Canada.

J'avoue que présenter ces billets chaque samedi matin était un travail que j'aimais tellement que je serais bien content de le reprendre. Mais, pour ça, j'ai l'impression qu'il faudra de gros changements. Genre, que la boîte ne s'appelle plus Radio-Canada...

Le choix des chroniques

La chronique radio est un genre en soi. À l'écrit, il manque le ton de la voix, l'atmosphère sonore et, surtout, les commentaires et onomatopées de Joël qui donnaient toute leur texture à mes billets. Certains textes souffraient plus que d'autres de cette transposition littéraire, notamment les chansons et les imitations. J'ai préféré les éliminer de la sélection pour cette raison.

Et puis, tous les samedis pendant huit ans, à l'exception des vacances estivales, ça finit par faire beaucoup de chroniques. J'ai commencé par me concentrer sur celles qui n'avaient pas été publiées (deux recueils de mes chroniques ont déjà été publiés: *Réveils mutins*, aux Éditions des Intouchables, et *Réveils mutins II*, chez Lanctôt éditeur).

Et puis, il y en avait bien sûr de moins bonnes. D'autres qui étaient des «Beaujolais nouveaux», qui ont pu avoir leur charme à l'époque mais dont le sujet n'apparaît plus pertinent aujourd'hui et qui auraient nécessité de trop lourdes mises en contexte. J'ai aussi essayé d'éliminer les sujets redondants. Séparés par des années, les répétitions peuvent s'excuser, j'imagine, mais pour la publication, j'ai choisi le billet qui m'apparaissait le mieux tourné pour chaque sujet.

Dans certains cas, j'ai isolé une idée ou une formule qui me semble encore *punchée* aujourd'hui.

Au fil des ans, aussi, les textes de certaines chroniques ont fait l'objet de demandes de la part d'auditeurs. Je me suis servi de ce *feedback* comme guide. Plusieurs de ces chroniques se retrouvent dans le recueil.

J'espère que vous aurez autant de plaisir à les lire que j'en ai eu à les produire.

François parenteau
Montréal, janvier 2005

« *L'inverse de l'humour, ce n'est pas le sérieux,*
c'est la soumission. »

\- GUY BEDOS

De l'utilité du pouce

Sur invitation de Radio-Canada, je suis venu faire un tour hier au centre ISCI, question de me familiariser avec ce haut lieu de la science. Radio-Canada étant très impliquée dans ce lancement, je serais bien mal venu de jouer au pisse-vinaigre. D'abord ce centre est très beau, très amusant, interactif, en plus d'être situé dans le Vieux-Port, un site qui devient de plus en plus agréable au fil des ans. Mais je me permettrai tout de même de jouer au chef de l'opposition.

Je crois que l'opposition est une chose essentielle à n'importe quel projet. À son développement mais aussi à son évolution. J'utiliserais même une métaphore scientifique (plus précisément anthropologique) pour illustrer son rôle : si l'être humain a pu développer la science et la technologie, cela découle entre autres de sa capacité à manipuler des outils. Or cette capacité vient du fait que nous avons un pouce opposable aux autres doigts, ce qui nous distingue de la plupart des autres primates. Cette opposabilité du pouce ne nous sert pas qu'à achaler les automobilistes ou à condamner des gladiateurs à mort. Comme chef de l'opposition, le pouce a beau être minoritaire, en exerçant une juste pression, il permet à la main dans son ensemble de saisir les deux côtés de ce qu'elle prend, permettant ainsi une meilleure dextérité et une plus grande précision, ce qui a évité à l'homme de trop se couper avec des silex.

Ainsi en est-il pour la science et les nouvelles technologies. Il ne s'agit pas d'avoir les mains pleines de pouces et de tout laisser tomber mais d'éviter d'embarquer dans le culte du *high-tech* sans réfléchir. Par exemple, ce centre, qui s'adresse en grande partie aux jeunes, propose un jeu interactif sur la régénération de la forêt. On doit décider, sur un territoire forestier, de ce qu'on conserve comme parc protégé, de ce qu'on voue à une exploitation partielle dans des pourvoiries et de ce qu'on destine à l'industrie de coupe à blanc. On doit s'assurer que la ressource sera renouvelée dans cent ans.

À la fin, on est confronté à un employé, une bûcheronne (sûrement qu'une femme ça fait moins méchant) et à un écolo, brin d'herbe entre les dents. Comme je n'avais alloué à l'abattage qu'une petite partie de mon territoire, la bûcheronne me félicita pour la richesse de la ressource, mais me reprocha une diminution des emplois et un ralentissement des affaires de la scierie. L'écolo *tripait* sur cette forêt bien pleine d'arbres, mais me suggéra d'en couper quelques-uns puisqu'une forêt trop dense est plus souvent victime de désastres naturels.

Charmant jeu, mais je me demande si ce qu'on nous présente comme une sage moyenne n'est pas plutôt une subtile façon de conditionner les générations futures à voir la forêt uniquement sous cet angle économique. J'en veux pour preuve que, dans cette histoire, il n'est aucunement question de l'impact des forêts sur les cours d'eau et la qualité de vie des humains…

Et puis, en jetant un coup d'œil au dossier de presse, je m'aperçois que, parmi les généreux donateurs qui ont permis au centre ISCI de voir le jour, on retrouve Cascades, Donohue et les produits forestiers Alliance…

Alors, permettez-moi de m'opposer un peu à tout ce positivisme scientifique corporatif. La présence d'une feuille d'érable sur le logo du centre (ainsi que sur ceux de ses plus généreux parrains) devrait nous confirmer le fait que ISCI a à cœur le bien-être des arbres. Et l'entreprise de susciter des vocations scientifiques est très louable. Mais pour ce qui est de porter un regard un tant soit peu critique sur la science et la technologie, ce centre aura toujours besoin de notre coup de pouce...

Société de *poqués*

Le suicide de Dédé Fortin me rentre dedans complètement. Je ne sais plus quoi en dire. Mes sympathies à ses proches, à tout le Québec... C'était un gigantesque artiste, il était en train de fonder quelque chose... *Fuck*, qui suis-je pour en parler? D'autres le feront mieux que moi. Avant cette hostie de nouvelle-là, j'avais déjà décidé de parler cette semaine d'un sujet un peu *touchy* et qui a cruellement rapport: la santé mentale. Récemment, une de mes anciennes profs m'a appelé pour m'en parler. Elle revenait de loin, un coma psychotique de quatre ans dont elle se sort aujourd'hui en tentant, entre autres, de s'informer sur le sujet et d'aider les gens aux prises avec des problèmes de santé mentale, entre autres les suicidaires...

Je lui ai demandé pourquoi il y en avait tant. S'il y en avait plus qu'hier et plus qu'ailleurs. C'est vrai qu'il y en a plein. Elle a tenu à me préciser que, derrière chaque maladie mentale, il y a d'abord un individu. Mais on peut aussi reculer et voir un *pattern*. J'ai toujours vu un lien entre cette déprime tellement répandue qu'on peut la qualifier de collective et le statut politique du Québec. On ne peut pas se dire NON sans conséquence. Se dire NON, c'est devenir fou, c'est ne pas avoir d'enfants, c'est se suicider. Je crois que si la souveraineté était un projet valable dans les années 60 et 70 pour résoudre des problèmes d'inégalités économiques et sociales, elle l'est aujourd'hui pour des raisons psychologiques.

Mais je me disais aussi que je devais me tromper, que je faisais des liens avec une idée obsessionnelle chez moi qui n'intéresse plus personne. Le seul autre peuple où le taux de suicide est encore plus élevé que le nôtre a beau être celui des Inuits, un autre peuple défait et sans pays, je ne suis pas assez spécialisé en la matière pour me lancer publiquement dans ce genre de réflexion. On me dirait que je charrie, que je n'ai pas le droit de dire ça. Encore moins à Radio-Canada. Robert-Guy Scully vient de se faire retirer sa *plogue* fédéraliste des ondes, tiens-toi tranquille.

En passant, je m'étonne que le financement par le Bureau d'information du Canada de l'émission *Scully RDI* scandalise la maison, alors que son contenu, qui avait répondu aux critères de l'organisme de propagande, ne les dérangeait pas du tout. J'aime autant vous le dire, si je ne le disais pas, et si je ne vous parlais pas de ce lien que je vois entre ce «nous» malade et complexé et tous ces «je» qui deviennent fous ou se poignardent, si je le gardais par-dedans ou, pire, si je me le cachais à moi-même, c'est ma santé mentale à moi qui en souffrirait.

Comme me disait ma prof, souvent, le sentiment de ne pas avoir le droit de quelque chose est un symptôme que ça ne tourne pas rond. Dédé Fortin ne se reconnaissait pas le droit d'être aimé. Il avait beau faire plus et mieux que tous les artistes de sa génération, il lui fallait en faire toujours plus, toujours mieux pour être valable.

N'importe quel Français ne se gênera pas, au restaurant, pour refuser une bouteille de vin qu'il jugera ne pas être à la hauteur. Il en a le droit : il est français. Nous : «Ah! non, faudrait surtout pas déranger!...» On n'ira jamais dire, comme l'a fait Guy Bedos, que Julie Snyder est une salope. On n'ira jamais dire les vraies affaires.

Dédé Fortin les disait. Comme hier il les disait dans son dernier poème, publié en première page de *La Presse*, et qui se terminait comme ça :

« Condamné par le doute, immobile et craintif,
Je suis comme mon peuple, indécis et rêveur,
Je parle à qui le veut de mon pays fictif
Le cœur plein de vertige et rongé par la peur. »

Et si on perd les rares qui disent encore, ça commence à être grave.

Rentrée 2000

[...]

Le scandale de l'été: Ginette Reno et Jean-Pierre Ferland qui ont chanté à un mariage de Hells Angels. Ce que j'ai trouvé étrange dans tout ça, c'est à quel point personne n'a relevé qu'il y a aussi une église qui a accepté de marier ces gens-là. J'imagine le couple de motards dans les rencontres de préparation au mariage... En tout cas, quand le curé a demandé si quelqu'un voulait s'opposer à cette union, vous pouviez être sûrs que personne n'allait s'ouvrir la trappe...

Le meilleur ennemi

La mort de Trudeau provoque en moi une énorme perplexité. De son vivant, dans le feu de l'action, j'avoue qu'il m'est même arrivé de la souhaiter. Maintenant, j'en suis un peu honteux. En fait, ce qui me revient alors en mémoire, c'est justement une image de Pierre Trudeau, seul, devant le cercueil où se trouvait son vieil ennemi René Lévesque. Je donnerais cher pour savoir à quoi pouvait bien penser Trudeau à ce moment-là... Il avait un visage étrangement ému, presque tourmenté. À passer des décennies à s'arc-bouter contre un adversaire, normal qu'on se sente soudainement déstabilisé quand il disparaît.

Au *Point*, hier, Claude Morin a dénoncé les commentaires respectueux et même admiratifs émis par plusieurs souverainistes à propos de Trudeau comme étant un festival d'hypocrisie. Et Claude Morin sait de quoi il parle, car c'est un expert en hypocrisie... Nous sommes donc prévenus qu'à son décès à lui nous ne serons pas tenus d'en faire... Mais cet exercice de style parfois périlleux, consistant à rendre un ultime hommage à quelqu'un qu'on a pu détester de son vivant, me semble néanmoins essentiel. Outre le fait que le décès d'un être humain mérite un instant de recueillement et de sympathie pour ses proches, peu importe qui fut cette personne, il y a le fait que la mort nous donne une rare occasion de regarder une personne et d'apprécier sa vie sous un œil différent. De déposer, un instant, les armes.

Bien sûr, il y a la Loi des mesures de guerre, la campagne de peur de 1980, le rapatriement unilatéral de la Constitution et le torpillage de Meech. Bien sûr, il y a le ton arrogant et souvent faux, les promesses non tenues. La belle petite musique des montages vidéo n'y fait pas grand-chose, mon sang bout encore quand j'en revois des images.

Mais c'est seulement maintenant que je me permets de remarquer le panache plutôt rafraîchissant, l'indépendance face aux Américains, la rigueur du propos. C'est maintenant que je me permets de douter de son machiavélisme et de me dire que, peut-être, toutes ces positions auxquelles je m'opposais étaient plutôt le fruit d'une *honest mistake*, comme disent les Anglais, d'une erreur de perception. Pour reprendre ses mots à propos du mouvement souverainiste, peut-être sa vision du fédéralisme nous apparaîtra-t-elle un jour comme un simple «accident de parcours»…

Et puis, peu importe ce qu'ont été jusqu'à maintenant les victoires, les défaites et même les tactiques de chaque clan, les idées ne peuvent que s'enrichir d'avoir à se frotter à des opposants d'une telle envergure.

Cette envergure, tout le monde la reconnaît et, bientôt, ce sera le temps des débats sur la place à donner au souvenir de Pierre-Elliott Trudeau. Certains proposeront de commémorer sa vie en donnant son nom à une variété de rose ou à un pont entre le Québec et Ottawa. Pour ce qui est du nom d'une rue, il y a toujours, à Westmount, un bout de boulevard qui s'appelle Dorchester. À l'époque, la ville avait mesquinement refusé qu'on le rebaptise du nom de René-Lévesque. J'avais déjà proposé qu'on le rebaptise du nom de Robert-Bourassa, mais ce serait aussi un joli clin d'œil que Pierre-Elliott Trudeau mène à René-Lévesque et vice versa, selon la direction dans laquelle vous allez.

Déjà, ce genre de questions suscite des passions. En effet, Lucien Bouchard a été accusé d'avoir finassé avec le protocole, ce qui aurait eu pour effet de retarder la mise en berne du drapeau québécois à la cime du bâtiment de l'Assemblée nationale. Peut-être suis-je cynique, mais il me semble que, voulu ou non, cet ultime pied de nez politique convient parfaitement au scénario de la vie de Pierre-Elliott Trudeau. Ça n'empêche pas qu'on fasse preuve de respect, mais il aurait été vraiment dommage que la controverse oublie de venir saluer le départ d'un homme qui l'a si souvent et si fièrement portée...

Dion vs Turp

Hier, à *Maisonneuve à l'écoute*, un débat opposait le bloquiste Daniel Turp au capitaine Plan B lui-même, Stéphane Dion. Pierre Maisonneuve avait beau décorer son visage de G.I. Joe d'un large sourire le plus souvent possible pour détendre l'atmosphère, on était clairement là en présence de deux gars à ne pas inviter au même *party*. Le problème ne doit pas se poser souvent puisque, de toute façon, voilà deux gars qu'on n'a pas tellement envie d'inviter à un *party*…

L'occasion de ce Hilton-Ouellet constitutionnel était la publication récente par Turp de son livre *La nation bâillonnée*, et par Dion du sien, *Le parti de la franchise*. J'avoue que j'ai manqué le début, mais j'ai trouvé l'échange frustrant. L'arbitre Maisonneuve a trop souvent dû intervenir pour démêler des corps à corps où les deux parlaient en même temps et s'interrompaient tout le temps, de sorte que les arguments n'étaient jamais déployés jusqu'à leur *punch*. Beaucoup de *jabs*, mais aucun *knock-out*.

Turp avait délaissé son fameux nœud papillon, qui lui donne un air de *waiter*, mais il avait toujours son ton prêcheur et ses formules compliquées. Tout au long de l'affrontement, il n'a jamais daigné nommer son adversaire, préférant le désigner comme étant «le ministre». Ça sonnait comme Prince qui se fait appeler «The Artist». À certains moments, je me demandais même de quel ministre il parlait.

Stéphane Dion, lui, avait toujours cette étrange voix où un calme apparent dans l'intonation n'arrive pas à effacer la fébrilité de l'élocution. J'ai toujours l'impression qu'il va dire: «Sinon, je vais le dire à ma mère…»

Je dois avouer que ce ministre aux allures de mulot hautain me fascine de plus en plus. Il démontre un inébranlable entêtement dogmatique fédéraliste et centralisateur, et un féroce négationnisme de l'idée d'un peuple québécois. Il ne laisse rien à l'adversaire. Pour lui, la Révolution tranquille fut largement le fait du fédéral, et la Nuit des longs couteaux n'a été que le résultat de la mauvaise volonté de René Lévesque. En fait, charisme en moins, remarquez à quel point il ressemble à Trudeau…

C'est son côté «incorruptible» et tout d'un bloc qui fait la force de Dion. Turp, en face de lui, avait souvent l'air de vasouiller. Les politiciens souverainistes ont tellement dilué et déguisé leur option que leurs discours ne peuvent plus être sincères. En plus de s'attaquer minutieusement à tous leurs arguments, Stéphane Dion, en bon sophiste, a le don de renvoyer les souverainistes à leurs contradictions. J'aimerais lui souligner les siennes.

Par exemple, à propos de la partition, son slogan «Si le Canada est divisible, le Québec l'est aussi» est très habile. Mais le Canada est une confédération dont les provinces sont les corps composants. On a souvent comparé le débat Québec – Canada à une chicane de couple. Transposé dans cette image, son slogan se traduirait par «Si notre mariage peut se briser, ta jambe aussi…» À ce genre de déclaration, on envoie la police…

Monsieur Dion dit avoir la responsabilité de protéger le droit des citoyens canadiens du Québec de demeurer canadiens. Il mentionne souvent à ce titre les peuples autochtones qui ont répondu largement

NON aux référendums et accuse les souverainistes d'un nationalisme ethnique qui refuse de reconnaître la diversité des peuples sur son territoire. Mais j'aimerais bien savoir ce que ce grand démocrate pense des Mohawks qui foutent à la porte de leur réserve tous les non-Indiens? Ce n'est pas du nationalisme ethnique, ça?

Stéphane Dion est aussi très prompt à dire que la séparation du Québec entraînerait le chaos. Encore à *Maisonneuve à l'écoute*, il a fini avec ça, ce qui a fait soupirer Daniel Turp qui n'avait plus le temps de répondre. Mais de quel chaos parle-t-il? Le seul véritable « chaos », avec toute la connotation terrible que porte ce mot, qui pourrait résulter d'un vote majoritaire pour la souveraineté du Québec, surviendrait si le fédéral répliquait à la décision en envoyant l'armée. Si c'est à ça que pense Dion, qu'il le dise avec franchise, puisqu'il en a pris le parti...

Et en bon émule de la manière Trudeau qu'est le ministre Dion, il va falloir le *watcher* pour ce qui est de l'armée...

L'heure des choix

Juste avant les élections, selon la firme de sondages Léger Marketing, le portrait des intentions de vote donnait exactement les mêmes résultats qu'il y a cinq semaines, avant le début de la campagne. J'ai même vu monsieur Léger déclarer à la télévision que c'en était à se demander pourquoi on faisait des élections. C'est bizarre que ce soit lui qui pose la question, parce que moi, je pensais que c'était pour faire vivre les maisons de sondages...

[...]

Ce n'est pas parce qu'ils sont blasés que les citoyens se désintéressent de la politique. C'est parce qu'ils sont lucides; ils savent que rien ne changera. Stockwell Day peut brûler son petit carton: il est clair que s'il était élu, il finirait par ouvrir la porte des soins de santé à l'entreprise privée. Personne n'est dupe de cette hypocrisie. Il dirait que la situation des hôpitaux est pire que ce qu'il croyait, qu'il faut faire entrer l'argent du privé pour sauver le système, qu'il n'a pas le choix. C'est toujours cette même rengaine. Pour la globalisation de l'économie, les compressions dans l'aide sociale et l'assurance-chômage, le remboursement de la dette, les fusions municipales, le virage ambulatoire, nos élus nous disent qu'ils n'ont pas le choix.

C'est devenu bien étroit, la démocratie: nous avons le pouvoir de choisir celui qui n'aura pas le choix...

Con-fusions

[…]

Là où les opposants aux fusions me font le plus rire, c'est quand ils se mettent à parler d'identité. On dirait qu'à défaut d'avoir une identité nationale claire, les Québécois se mettent à les collectionner : canadienne, québécoise, un peu française, un peu américaine, latino-nordique, rive-sudienne, Ville-Lemoyneau, alouette… La schizophrénie nous guette…

C'est un faux problème. Il y a longtemps que New York regroupe plusieurs entités qui ont déjà été des villes. Le sentiment d'appartenance aux quartiers qu'elles sont devenues est encore très fort, mais il serait aujourd'hui ridicule de proposer que New York soit redivisée en plusieurs villes. Le fait que Montréal soit un étrange gruyère où les trous sont plus riches que le fromage ne l'est pas moins. À ce titre, comparer les référendums sur les fusions au référendum sur la souveraineté équivaut à comparer des pommes avec des gorilles mauves qui font du monocycle en chantant *Agadou*.

[…]

Bye-bye Lulu

Depuis plus de trois ans, je travaille à un projet de documentaire dont le titre actuel est *Qui est nous?* et qui porte sur les immigrants et les anglophones du Québec face à l'identité québécoise. Le moins que je puisse dire, c'est que, ces derniers temps, de l'affaire Michaud au testament politique de Lucien Bouchard, l'actualité semble conspirer pour rendre mon projet pertinent...

En passant, je sais bien que ma fonction officielle dans cette émission est d'être chroniqueur humoristique. Mais il arrive que des sujets s'imposent qui demandent à être abordés avec nuance. Ce n'est pas très *glamour*, la nuance. Dans les médias, et encore plus quand il s'agit de faire de l'humour, on a plutôt tendance a décrire les choses tout en blanc ou tout en noir. Pourtant, comme Thierry Lhermitte disait dans *Le père Noël est une ordure*: Y a beaucoup de gris... Et justement, la démission de Bouchard m'inspire une certaine grisaille.

Lucien Bouchard donne trois raisons pour son départ. Bien sûr, il a invoqué les éternelles raisons familiales pour justifier sa décision. Pour n'importe qui d'autre, on pourrait dire: «Ben oui, *sure*...», mais quiconque a déjà vu la face d'Audrey aux côtés de son premier ministre de mari dans un congrès du PQ sait que, dans son cas, c'est loin de n'être qu'une excuse...

Il a aussi parlé de sa déception de n'avoir pas constaté de vague souverainiste dans la population québécoise.

Ceci me confirme que Lucien Bouchard n'était qu'un *surfer*. Il avait le talent de tirer le maximum d'une vague, mais jamais il ne sera parvenu à la créer. Parizeau était plus du genre à faire la bombe en sautant dans l'eau et à faire beaucoup de vagues. Il pouvait aussi couler à pic. Mais c'est cette étrange dynamique tandem qui a fait qu'au dernier référendum ça a presque réussi. Depuis, Lucien le *surfer* est resté sur la plage en attendant la marée favorable.

Et je trouve qu'il a souvent mal lu les courants. Aux dernières élections provinciales, en 1998, et encore plus en réaction à la réélection de Chrétien, Bouchard n'a pas tenu compte de tous ces Québécois souverainistes qui, soit parce qu'ils trouvent le PQ trop à droite ou qu'ils ne s'intéressent pas à la politique autrement, ne votent qu'aux référendums. C'est la voix silencieuse des taux de participation à la baisse. Quant au projet de loi sur la clarté qui n'a pas soulevé l'indignation, Lucien Bouchard oublie qu'il n'y a plus que deux raisons pour lesquelles les Québécois peuvent descendre en masse dans les rues : la langue et la coupe Stanley.

Mais il y a surtout le désaccord entre Bouchard et les supposés « radicaux » du parti. À ce sujet, d'abord, le PQ paye aujourd'hui pour ne pas avoir eu de réel congrès à la *chefferie* en 1996. Bien sûr, peu importe qui auraient été les autres candidats, Lucien Bouchard les aurait écrasés. Mais la campagne et les débats qu'elle aurait soulevés auraient permis au parti de brasser les idées et d'exorciser quelques démons. À ce sujet, l'histoire du PQ lui indique clairement la *job* qui l'attend.

Disons-le : il est statistiquement vrai que les citoyens québécois issus de l'immigration votent très majoritairement contre la souveraineté. On a le droit de le constater. On peut s'en désoler, en être inquiet ou même frustré. Mais on n'a pas le droit de le leur reprocher. Enfin, oui, ça aussi on en a le droit, c'est la liberté d'expression. Mais c'est bête et inutile. On ne gagne pas l'appui des gens à une cause en leur reprochant de ne pas y adhérer. Nous sommes en démocratie et, en démocratie, les «ennemis», on ne tente pas de les abattre, on tente de les convaincre, ou à tout le moins de les rassurer.

Dans le quotidien de la politique partisane, je comprends que ça puisse faire du bien de temps en temps de traiter ses opposants d'intolérants ou même d'imbéciles. Mais il ne faut jamais oublier qu'en bout de ligne ce sont ces «intolérants» et ces «imbéciles» qu'il faut aller chercher. Au fond, c'est tant mieux si les votes ethniques peuvent faire la différence dans un référendum. Ça oblige les souverainistes à tout faire pour que ces fameux «ethniques» se sentent inclus dans le projet.

Parizeau a dit vrai quand il a parlé de votes ethniques, et Bouchard a raison quand il parle de l'importance de l'opinion internationale sur les valeurs démocratiques du mouvement souverainiste. Parizeau a donc crevé un abcès que Bouchard tente de désinfecter. Il appartiendra aux nouveaux *leaders* du Parti québécois de donner suite à ces deux testaments politiques. Si la *job* est bien faite, ça ne peut que nous faire moins d'intolérants et moins d'imbéciles...

Bataille de chiffonniers

Pauvre Bernard Landry! La couronne du PQ n'est pas encore posée sur sa tête que, déjà, il doit assurer au Canada qu'il respecte les Canadiens et leur drapeau. Cette autre «affaire» s'est artificiellement gonflée à une telle vitesse, ce n'est plus une tempête dans un verre d'eau, c'est un ouragan dans un *rince-œil*...

Ainsi, la tradition continue; les chefs souverainistes qui doivent passer leur temps à rassurer le reste du monde au lieu de promouvoir leur cause. C'était le gros dada de Lucien, ça, l'opinion internationale. C'est pour ça qu'il a maintenu la loi 178, qu'il se faisait tout doux devant les multinationales, qu'il n'a pas voulu qu'on utilise de fonds publics pour promouvoir la souveraineté, qu'il a *écrapouti* la mouche Michaud d'un coup de bazooka, ébruitant ainsi l'affaire...

Ce dont il faut se rendre compte, c'est qu'au Canada anglais le mouvement souverainiste est d'emblée présumé coupable de racisme, d'ethnocentrisme, d'extrémisme, de magouilles électorales et référendaires, de manipulation hypnotique des masses et de consanguinité.

Dans ce contexte, le moindre pet de travers des péquistes ou des bloquistes est perçu comme une preuve à l'appui de ces thèses. Dans les grands titres des journaux et les capsules d'ouverture des nouvelles à la télé, il n'y a pas que des faits rapportés. Il y a, dans le ton, ce «Ha-ha!» qui précède normalement un «J'vous l'avais bien dit...»

Alors, vous imaginez, quand Bernard Landry a parlé de chiffons rouges, c'était une occasion rêvée d'y voir la preuve qu'il était un être infâme méprisant les Canadiens. C'est bizarre, les médias se plaignent que les politiciens parlent une langue de bois, mais la moindre de leurs expressions pas assez vernie provoque un scandale. Ça a été le cas aussi pour Pettigrew et son «Québec profond». Même la langue de bois ne suffit plus, et on verra bientôt des politiciens parler la langue de jade de la tradition chinoise. Plutôt que de traiter un opposant de menteur, ils diront alors : «Je suis attristé de constater que mon honorable adversaire, des bonnes intentions duquel je ne me permets pas l'outrecuidance de douter, ait pu, dans un moment d'inattention, bifurquer temporairement du noble chemin de la vérité, M. le président.» Le public serait alors bien justifié de rétorquer : «De kossé?…»

Bernard Landry est souverainiste. On devait bien se douter que les drapeaux canadiens que le fédéral fait pousser partout ne lui apparaissent pas comme de jolies décorations. Une guerre des drapeaux fait rage au Québec. N'est-ce pas Jean Chrétien lui-même qui a déclaré que les séparatistes n'étaient intéressés (et je cite) qu'à avoir leur «*flag su'l hood du char*»? Landry est tombé dans le piège en s'excusant. Il s'est soumis à la mauvaise foi fédéraliste en lui prêtant de l'importance. En plus, son excuse voulant que «chiffon rouge» ait voulu dire «provocation», comme en tauromachie, ne tient pas debout. (Il aurait ainsi dit que le Québec n'est pas à vendre, ni pour des provocations, ni pour quoi que ce soit d'autre, ce qui n'a pas de sens…)

Ce qu'il aurait du dire, c'est qu'on peut respecter les Canadiens et en avoir ras le bol que le fédéral nous inonde de drapeaux payés avec l'argent de nos taxes pour nous coloniser l'esprit. Que cette entreprise de

Sheila Copps est vulgaire (et que ça ne vient pas du latin pour dire «proche du peuple»)... Le drapeau canadien a sûrement de la valeur, tout comme ceux qui s'y identifient. Mais, en bon économiste, Landry aurait pu expliquer que quand l'offre dépasse largement la demande, la valeur baisse. Et qu'au rythme où on nous inonde d'unifoliés depuis quelques années, «chiffon», c'était encore poli...

Mon moi villageois

Cette charmante foire des villages où le mouvement Solidarité rurale du Québec nous convie au marché Bonsecours est une bien belle initiative. En plus, elle répondrait bel à bien à un besoin, puisque j'apprenais dans le fascicule *Villages*, publié par Solidarité rurale, que plus de 38 % des Québécois urbains rêveraient d'un grand déménagement vers un coin de campagne. Ça m'y a fait réfléchir…

Quand j'étais petit, j'allais souvent avec mes parents visiter la famille à Yamaska, dans le coin de Sorel. Yamaska est un autre de ces villages dont on n'entend plus parler depuis que *Soirée canadienne* n'existe plus… Je me souviens de cette odeur de fumier s'immisçant dans la voiture et qui marquait clairement le passage à la campagne. Ma mère, qui gardera toujours son côté « campagne », en prenait toujours une bonne *sniffe* en nous disant que ça sentait la vie. Pour moi, enfant de la banlieue, cette odeur, la ferme avec les animaux, le champ, le bois, la machinerie agricole, c'était très exotique.

Je me souviens que, sur le chemin pour se rendre à Yamaska, il y avait un village qui s'appelait Saint-Ours. J'me suis-tu demandé ce que cet ours-là avait fait pour être canonisé, moi… D'ailleurs, dans ce qui détermine à travers l'histoire ce qui fera d'une localité un grand centre urbain ou un village reculé, le nom de l'endroit joue pour beaucoup. Vous imaginez sérieusement un palais des congrès à Saint-Alphonse-de-Rodriguez, un aéroport international à Saint-Louis-du-Ha! Ha! ou un Stade olympique à Les Boules?

Aujourd'hui, à moi aussi, il arrive de me fantasmer une vie rurale. Je regarde *Cultivé et bien élevé* ou *La semaine verte* et je m'imagine découvrant un moyen de faire pousser des truffes pour devenir millionnaire et aménager mon domaine à ma guise. Je me dis qu'un jour, j'en aurai assez de ma vie d'oiseau de nuit et que je quitterai mes bars et mes terrasses pour aller vivre une vie saine et équilibrée sur un beau terrain, dans une grange rénovée avec accès à une plage où j'irais faire du *jogging* avec mon chien dans la brume du matin avant de retrouver femme et enfants autour d'une table débordant de produits du terroir. Puis, je me dis que j'ai vu tout ça dans une annonce de margarine et que ça n'a rien à voir avec la réalité.

La réalité, je me dis, c'est probablement que mon terrain idéal a été *dézoné* pour gagner une élection en favorisant la construction d'une mégaporcherie, et que s'il reste bien quelques granges abandonnées, toutes celles qui auraient pu être rénovées sont déjà des théâtres d'été. Je me dis que tout ce que je pourrais me permettre, c'est un petit chalet, que si j'avais un chien, l'odeur de la mouffette qu'il aurait eu la mauvaise idée de pourchasser empesterait l'ensemble des lieux et que tout ce qu'on peut trouver au magasin du coin, ce sont des produits en *cannes*, du pain blanc tranché et du Cheez Whiz.

Pourtant, j'adore le Cheez Whiz. J'en achète souvent. Mais en ville, je me rassure que je pourrai toujours m'acheter un bon chèvre quand je le désirerai. C'est ce potentiel d'improvisation qui m'attache à la ville. Le fait de pouvoir m'asseoir sur une terrasse, l'été, et regarder défiler tout un fleuve humain où je peux me plonger en tout anonymat. Au fond, mes amis, mon voisinage et les endroits que je fréquente pourraient sûrement tenir dans un seul village. Mais il y a à Montréal, à portée de métro, plein d'autres villages habités par toutes les cultures du monde. Je peux déjeuner au bagel juif, dîner à la soupe tonkinoise et souper d'un bon porc et palourdes portugais. Je sais que je ne connaîtrai jamais tout le monde et tous les villages de cette ville. N'importe quand, je peux faire un voyage sur la rue Crescent où je ferai croire à une Anglaise que je suis un touriste venu de France. Je ne le fais presque jamais, mais je peux. C'est comme mes cache-oreilles. Quand je marche dehors, j'ai déjà plus chaud de les savoir dans ma poche. Mais s'ils n'y sont pas, qu'est-ce que je me les gèle, les oreilles...

Pour l'instant, je demeure donc résolument urbain. Mais je continue de me creuser les méninges pour mon histoire de truffes. Et quand je voyage en campagne, je *spotte* toujours les granges... Si un village du Québec arrive à attirer quelques « ethniques » question de pouvoir trouver des *empanadas*, des *falafels* et du *tandoori* à se mettre sous la dent, je reconsidérerais sûrement ma position...

Actualité XXX

[...]

Il faut toujours faire attention avec les cadeaux, *sexy* ou pas. Ça ne fait pas toujours plaisir. Prenez le Salvador. Le gouvernement a probablement voulu faire un cadeau aux citoyens en abandonnant, le 1er janvier, l'usage unique de la monnaie nationale, le colón, pour adopter le puissant et prestigieux dollar américain. Mais cette décision en a choqué plusieurs, au point où des manifestations ont eu lieu pour la faire renverser. Je ne m'y connais pas beaucoup en politique monétaire, mais si les Salvadoriens ont ressenti le besoin de descendre dans la rue pour défendre leur colón, c'est que le dollar américain devait bien leur faire quelque chose qu'ils n'aimaient pas...

[...]

La force de l'ignorance

Il y a un an, un dépanneur de mon voisinage a été acheté par une famille de Chinois. En fait, ils avaient l'air tellement perdus que j'avais plutôt l'impression que ces Chinois-là avaient été *zappés* sur la rue Saint-Denis sans avertissement. Ils ne parlaient pas un mot de français, à peine le double d'anglais et, en plus, ils ne connaissaient même pas l'utilité de la moitié des *gogosses* qu'ils vendaient. Sans blague, j'y suis allé un jour pour m'acheter de la laine d'acier, et quand le vendeur a vu ma boîte, il m'a demandé ce que c'était! Pour *niaiser*, j'ai eu bien envie de lui dire que c'était des boulettes de hamburger déshydratées, mais je me suis ravisé de peur qu'il découvre que c'était meilleur que du McDo et qu'il en fasse une trop grande consommation. Je lui ai mimé l'usage nettoyant que j'en faisais et il m'a répondu de son sourire qu'il avait compris.

Je me suis alors promis d'aider ces gens dans leurs efforts pour apprendre le français. Au moment de déposer mes achats sur le comptoir avant de payer, je les nomme toujours: «Du jus d'orange, de la crème, des chips au ketchup…» Je me dis que si j'ai acquis mes premières notions d'anglais en voyant défiler des produits à *The Price is Right*, ça pourrait marcher avec eux pour le français.

Un des gars a fait des progrès impressionnants. Celui qui parlait un peu d'anglais en est resté à «Bonjou», «Messi boucou», «Bonne jnée». Quant à la fille, il faut que j'insiste. Je m'achète une pinte de lait, je la paye et elle me dit : « Thank you, Goodbye. » Je lui réponds : « Merci, bonne journée » et je la regarde en souriant. Je ne pars jamais sans qu'elle m'ait dit mon « Messi, bonne jnée. »

Je repense à tout ça car, à l'occasion des États généraux de la langue française, on a beaucoup entendu parler de langue de travail et d'intégration des immigrants ces dernières semaines. Or, ce qui ressort d'abord des études démographiques et linguistiques qui tentent de mesurer l'intégration des immigrants à la langue française, c'est que si on prend en considération tous les chiffres disponibles, on devient schizophrène.

Sur cette question, tout dépend des lunettes qu'on porte. Il y en a pour qui le français ne s'est jamais mieux porté au Québec. Il est peut-être utile de se rappeler que c'était le discours des opposants de la Loi 101 avant même qu'elle n'entre en vigueur. Puis il y a ceux qui sonnent l'alarme. Pour eux, la digue est fissurée, et à défaut d'exercer une vigilance de tous les millimètres, une vague d'anglais déferlera bientôt sur nous pour noyer le fait français.

Bref, c'est bien plus naturel de se faire d'abord une idée et de chercher ensuite les statistiques qui l'appuient. Moi, chaque fois que je commande une pizza, que je compose un mauvais numéro, que je prends le métro sur l'avenue du Parc, ma maison de sondage interne est à l'œuvre. Et je vais vous dire, je ne suis pas plus avancé... Ça change chaque jour. Tout dépend du « Sorry » ou du « S'cuse » qu'un anglophone me dira en me heurtant par inadvertance dans l'autobus, du nombre de secondes que j'attends mon « Messi boucou » ou de ce que je vais retrouver sur ma pizza.

Mais je constate une chose. Arrêtons de faire semblant que le savoir, c'est le pouvoir. Dans le débat linguistique au Québec, c'est l'ignorance qui est une force. Les bilingues sont toujours forcés de parler la langue de l'unilingue. C'est ça qui sous-tend le combat de ceux qui s'opposent à un enseignement important de la langue anglaise dès le primaire.

Pratt & Whitney au Québec *niaise* toujours pour son certificat de francisation. Pourtant, en Pologne, la même compagnie opère une usine où tout se passe en polonais. La connaissance de l'anglais par les employés francophones du Québec les oblige donc à travailler dans cette langue seconde, alors que l'ignorance des Polonais leur permet de travailler dans leur langue.

Combien de francophones ai-je vus parler dans un piètre anglais aux Chinois du dépanneur? Et on voudrait qu'ils apprennent le français? Sans les COFI, en plus? Et ne me faites surtout pas croire que l'aspect «langue de travail» n'a pas d'importance dans la survie du français. Le défi des Québécois francophones est double: c'est de savoir parler l'anglais mais aussi, quand il le faut, de savoir se retenir de le parler.

Merci beaucoup, bonne journée...

Archéologie récente

[...]

C'est avec plaisir qu'en feuilletant de vieux journaux j'ai relu les formidables aventures d'Équipe Canada en Chine. À propos des droits humains, Jean Chrétien s'est récemment fait reprocher de ne pas appliquer à la Chine la même intransigeance qu'à Cuba, qu'il a refusé d'inviter à Québec. Mais Chrétien doit suivre sa propre logique à propos des droits humains dans tout ça : « En Chine, ils ont peut-être moins de droits, mais ils ont tellement plus d'humains qu'au total ça compense... »

Et revenu au pays, le pauvre Ti-Jean n'a eu de cesse d'être harcelé de questions par l'opposition à propos de son potentiel conflit d'intérêts dans l'histoire de l'auberge Grand-Mère. C'est Paul Martin qui doit être mort de rire. Lui, au moins, ses sources potentielles de conflit d'intérêts, il les fait enregistrer aux Bahamas... Et il fait de l'argent avec...

Une autre belle histoire à revivre en relisant de vieux journaux, c'est la débandade de Nortel. Jadis un fleuron magnifique de notre industrie, cette compagnie a tellement perdu de valeur suite à de bizarroïdes réévaluations à la baisse de ses prévisions financières que, bientôt, ils devront donner des compensations à leurs actionnaires sous forme de valeurs plus sûres, par exemple celles de Duc Des Bois, ML Timousse et Sharp N Cool, respectivement en piste à l'hippodrome de Montréal dans les première, quatrième et septième courses.

L'ivresse des sommets

[…]

En passant, Bernard Landry est dans une drôle de position. Il est fâché contre le sommet des Amériques parce qu'il n'y a pas été invité, mais il appuie la ZLEA. Il déplore que son peuple ne sera pas représenté, mais son ministre Serge Ménard défend le périmètre de sécurité. J'ai un slogan à lui suggérer pour son écran géant : « Périmètre chez nous. »

[…]

La mouche et le bazooka

J'avais très envie d'aller à Québec pendant le Sommet des Amériques, de voir et de sentir ce qui s'y passerait. L'occasion s'est présentée lorsqu'avec *Les Zapartistes* (une *gang* dont je fais partie qui présente des spectacles d'humour politique), on a décidé que ce serait une bonne idée d'aller y présenter notre nouveau cabaret d'humour politique.

Ce qui m'a frappé en s'approchant de Québec, c'était déjà la présence policière. Ça avait même quelque chose d'irréel : c'était la première fois que je voyais toutes les voitures sur la 40 rouler à 100...

En arrivant à Québec, vendredi après-midi, tout avait l'air calme. Depuis un moment, on écoutait la radio. Les journalistes avaient l'air de se vider les batteries à faire croire qu'il y avait de l'électricité dans l'air. C'était la grande attente du geste d'éclat. Puis, nous avons croisé des voitures de police. Une... deux... cinq... dix... quinze... vingt... cent... Nous avons ensuite dû nous tasser pour laisser passer une sombre caravane d'une vingtaine de camionnettes remplies de brigadiers antiémeute. Démesuré. Sinistre. Ça ressemblait à un carnaval dont le bonhomme aurait été Darth Vader. Et quand j'ai vu la colonne de *zoufs* en kaki qui remontait une rue de Limoilou au trot, je me suis rappelé ces paroles de Richard Desjardins : « Y a tellement de police ici-dedans, ça va prendre des bandits ben vite... »

Pourtant, la foule éparpillée semblait plutôt paisible. Il y avait bien quelques *punks* à l'air patibulaire, mais rien de bien pire qu'aux alentours du Centre Molson le soir d'un match contre Boston. La vaste majorité des gens étaient calmes, souriants et très poilus.

On a ensuite appris que des manifestants avaient percé le périmètre, qu'un policier avait été battu et qu'il saignait abondamment. Les nouvelles se passaient comme ça de bouche de poilu à oreille de poilu, sous le bruit constant des hélicoptères. Jean Chrétien avait affirmé à la télévision que 200 – 300 manifestants, même 3 000, ça ne l'empêcherait pas de dormir. Mais les hélicoptères, Monsieur Chrétien, elles ont bien dû vous *achaler*, vous aussi? Ça faisait des jours qu'elles empêchaient tout le monde de dormir… Tout ça finissait par être écœurant…

Notre spectacle s'est bien déroulé, quoiqu'il ait été pénible par moments de jouer devant un public qui n'était pas là pour ça. Les gens voulaient juste prendre une bière dans ce bar qui s'était drapé de clôtures de broche, en hommage sarcastique au fameux périmètre. Après la représentation, nous avons justement voulu voir ce qui se passait près des barricades.

Surprise : le périmètre venait d'être agrandi! Le bar où nous devions présenter notre spectacle le lendemain en faisait désormais partie et nous ne savions pas si nous pourrions nous y rendre. On a aussi appris que les policiers avaient tiré sur une centaine de manifestants avec des balles de caoutchouc. Une centaine! Contre des milliers de *beus*. Ça les démangeait vraiment de les essayer, leurs nouveaux jouets…

Nous approchons du périmètre. C'est là que j'ai senti pour la première fois de ma vie les effets du gaz lacrymogène. Je n'oublierai jamais cette sensation. Très efficace comme arme : j'aurais eu beau être déterminé à foncer sur la colonne de flics, mon corps entier m'en empêchait. Cette arme est suprêmement humiliante parce qu'elle vous rend impuissant de tout. C'est le moyen de répression le plus pur. Tu ne peux même pas recevoir un coup de matraque, tu fuis. Et ils en ont mis partout. PARTOUT. Même les pavés pleuraient. Quelle lâcheté : pour ne pas avoir à porter l'odieux de quelques coups de matraque qui auraient terni leur image, ils ont gazé tout le monde.

Peu importe le niveau intellectuel des manifestants qui étaient alors dans les rues à cette heure tardive, ce parfum insupportable du gaz irritant me brancha d'un seul coup sur la même indignation que j'ai si souvent vue exprimée aux nouvelles en Palestine, en Afrique du Sud, à Oka. Et quand nous avons finalement joué notre spectacle le lendemain, devant une foule aux yeux rougis (et ce n'était pas l'émotion…), en criant pour couvrir le bruit des hélicoptères et en arrêtant chaque fois qu'on entendait des tirs, j'avais vraiment l'impression de faire de la résistance.

On a beaucoup vu les manifestants au Sommet dénigrés dans les médias. Mais les pires clowns, dans toute cette histoire, étaient clairement à l'intérieur du périmètre. Voilà ce qui me fait croire que la ZLEA est tout sauf un projet démocratique. J'aimerais bien un jour être en mesure de nuancer ces propos. Mais il faut toujours se fier à sa première répression…

Ménage du printemps

[…]

Sur un autre sujet, je ne sais pas si le Pape a réfléchi aux épidémies de vache folle et de fièvre aphteuse qui ont frappé le cheptel bovin anglais, mais Jean-Paul II aurait pu en venir à la conclusion qu'en Angleterre le diable est aux vaches. C'eût été une belle occasion de dire que ces maladies sont sûrement une punition de Dieu contre l'insémination artificielle, une pratique amorale selon l'Église catholique.

Dans le domaine en constante évolution de la propriété intellectuelle, j'ai lu quelque part que les grandes entreprises tentaient de plus en plus de s'approprier les gènes du vivant. C'est déjà vrai pour plusieurs variétés de végétaux, mais on dit aussi qu'un brevet pourrait bientôt être déposé, par exemple, sur le gène de la blondeur chez les humains. C'est vraiment inquiétant, et il faudrait dire à ces gens-là que le gène des blondes ne peut pas faire partie du domaine de la propriété intellectuelle…

[…]

Médecins oubliés

[...]

Depuis des années, le Québec tente en vain d'inciter les immigrants à s'installer en région où il leur serait plus facile de s'intégrer à la culture québécoise en sortant des ghettos. D'autre part, les régions manquent aussi de médecins. Or le Québec regorge de médecins immigrants qui accepteraient volontiers de s'installer en région pour pratiquer, mais on ne le leur permet pas... En plus, quand on sait la mauvaise réputation médiatique que le Québec a à l'étranger en matière d'immigration, même si c'est le résultat de calomnies, j'ai du mal à comprendre que le gouvernement péquiste passe à côté d'une telle occasion de redorer son blason...

La seule explication qui tienne, c'est que la crise est voulue et planifiée pour écœurer le monde et ouvrir la voie à la privatisation de la santé.

Les bélugas

À Montréal, c'est facile d'oublier le fleuve. Tout lui tourne le dos. Sa principale utilité, outre portuaire, semble être de fournir une occasion aux promoteurs de construire des ponts et, subséquemment, aux banlieusards ou encore aux Mohawks de les bloquer..

Le Saint-Laurent est pourtant ce qui nous définit. Les Québécois vivent tous non loin de sa rive nord ou de sa rive sud, et certains, comme à Montréal, vivent même en son beau milieu. Jamais nous ne manifesterons assez de gratitude envers ce majestueux cours d'eau qui se dessine nettement sur toutes les cartes du monde. Sur une mappemonde qui n'aurait pas de frontières, essayez de situer précisément le Kazakhstan, l'Oklahoma ou le Tchad, sans oublier la mystérieuse frontière entre l'Alberta et la Saskatchewan. Mais le Québec saute aux yeux: c'est cette péninsule qui tire facétieusement sa langue d'Anticosti pour faire la grimace à Terre-Neuve.

Et puis, de ce fleuve qui est toujours plus qu'une rivière mais qui ne devient jamais tout à fait la mer, on peut évoquer bien des comparaisons symboliques. Ancré en Amérique mais encore tourné vers l'Europe, le fleuve est un estuaire où vivent des créatures qui ne peuvent exister que dans ce milieu. D'où l'importance, d'ailleurs, de le protéger…

Partout ailleurs dans le monde, je suis en voyage. Il n'y a que sur les bords du fleuve que je puisse me sentir véritablement en vacances. Au fil des années, je tente même de m'établir une sorte de rituel tourné autour du fleuve. Les étapes sacrées du pèlerinage que j'ai arrêtées jusqu'à présent consistent à mettre au moins un orteil dans l'eau du fleuve, à faire un feu, à toucher un phare, à manger au moins une fois dans un établissement de hot dogs et de patates frites qui a déjà été un véhicule, à débouler les dunes à Tadoussac et à voir au moins une baleine ou un béluga.

Le béluga est une singulière créature. Ses formes toutes arrondies et sa blancheur lui donnent un air de *bocconcini*. Et son petit sourire innocent n'est pas sans rappeler la bouille des trisomiques. L'été dernier, j'étais au Gibârd, à Tadoussac, et je tentais d'exprimer cette image à deux amies. Sans doute affectées qu'elles étaient de quelques relents de rectitude politique, elles réfutaient ma comparaison jusqu'à ce que se pointe justement au bar un sympathique trisomique arborant fièrement un *t-shirt* avec des bélugas dessus. On en rit encore… Ça *fitait* tellement : CQFD.

Ce qui n'empêche pas que l'observation des bélugas soit une expérience métaphysique des plus profondes. Nous y sommes allés d'ailleurs, le lendemain. Nous étions sur le pont du *Valère-Élise* à scruter l'horizon pour voir poindre entre les vagues bleues la blancheur d'un dos de béluga. Au départ, nous voulions tellement en apercevoir que nous nous excitions à la moindre pâleur. Une mouette, une vague légèrement moutonnante ou un autre bateau vu de loin suffisait pour nous faire dire : « Là, j'en vois un ! » Après tant de fausses alertes, on a fini par s'engourdir un peu et même se faire à l'idée qu'on n'en verrait pas…

Mais quand un vrai beau gros béluga s'est pointé près du bateau… ce fut magique. C'est tout con, voilà un mammifère marin qui vaque à ses occupations normales de mammifère marin, mais ça fait battre le cœur plus vite d'être là juste à côté. Est-ce sa rareté, sa blancheur ou simplement le suspense de la quête? Je ne sais trop, mais ça fait effet.

À ce moment, c'était tellement clair que nous étions en présence d'un béluga, ça nous faisait nous demander ce qui nous prenait pour qu'une simple mouette ait pu auparavant nous confondre. C'est là que ça m'avait frappé: chercher un béluga sur le fleuve, c'est comme espérer le grand amour.

On peut se fourvoyer souvent et s'exciter pour des vagues qui disparaissent aussitôt. Mais quand il arrive, on ne peut plus se tromper. Et je suis sûr que si on s'était pris en photo au moment de cette apparition, le sourire qu'on avait alors aux lèvres devait être au moins aussi béat que celui des *bocconcinis* trisomiques qui entouraient le bateau. D'ailleurs, je ravise ma position: c'est un sourire d'amoureux. Faut dire que ça se ressemble…

Cette vision me redonne encore espoir quand j'y repense et elle m'inspire ce cri du cœur: de grâce, pour la suite du monde et de nos grandes amours, sauvons les bélugas!

Djihad capitaliste

Depuis les attentats de mardi à New York et Washington, les médias nous l'ont dit : rien ne sera plus pareil. Après l'ébahissement face aux effets spectaculaires de ces gestes sans précédent, après la fascination pour cette troublante beauté de l'horreur, après la consternation, la peine et la peur, on peut enfin réfléchir. On peut mais, quand on est le chef de ce qu'on entend de plus en plus appeler « *The only remaining superpower* », on peut bien faire ce qu'on veut. Et George Bush me fait peur.

La première image qui a installé en moi la peur parmi toutes ces images explosives et déchirantes, c'est cette dizaine de Palestiniens qui dansaient de joie dans leur camp poussiéreux. Au *peak* de la colère américaine, voilà cette bande de pauvres sans pays qui osent se réjouir de tant de morts américains, tout sourire. Au moins, s'ils avaient eu la présence d'esprit de chanter « Bonne fête Mustapha » pour faire semblant qu'il s'agissait d'autre chose… Mais non. Ils avaient l'air d'une cape rouge face à un taureau piqué.

Puis, la peur a grimpé quand j'ai vu la *twist* que George Bush donnait à tout ça. C'est le Bien contre le Mal. Ce n'est donc pas une lutte entre la barbarie et la démocratie. C'est une lutte entre deux religions. Une lutte où chacun est le Mal de l'autre avec quelques preuves à l'appui.

Bush a dit: «*We will lead the world... to victory.*»
Remarquez bien la pause... J'avais une étrange
impression qu'il avait déjà fini sa phrase. Et puis, voir
s'il est question de victoire, *cow-boy*... C'est justement
parce que tu les gagnes toutes, partout, tout le temps,
dans les nobles causes comme dans les sordides
magouilles pour protéger tes intérêts à courte vue, et
souvent les unes couvrant les autres, que tant de haine
se déchaîne. La victoire, c'est toujours contre quelqu'un.
Cette fois, ce serait le Mal, et il ne s'agirait donc pas
tant d'une guerre que d'une espèce d'exorcisme de la
planète. Mais non... C'est la cohorte de tes vaincus qui
a fermenté dans son fanatisme et qui t'explose au
visage. Tu veux que justice soit faite. Comprends-tu
que pour tout un pan de l'humanité, c'était justement
ça, les avions...

Hier, j'ai vu un bout d'une messe où George Bush
officiait. D'ailleurs, l'hallucinante bondieuserie dans
laquelle on se retrouve prouve qu'on vit une guerre de
religion... Tout le gratin politique américain était là les
larmes aux yeux et, pendant un hallucinant «Glory
Alleluia» aux accents vengeurs, se sont retournés, dans
un faisceau de lumière, de fiers jeunes hommes, représentants de chacun des corps d'armée américains. J'en
étais glacé d'effroi. Tout restait désespérément pareil.
Juste pire.

Je ne sais pas trop ce qui va se passer dans les jours à
venir. Pour tout vous dire, je suis tellement méfiant du
rôle des médias dans tout ça que je me demande même
ce qu'il s'est vraiment passé les jours précédents et je
ne peux m'empêcher de trouver que cette histoire de
manuel de pilotage en arabe trouvé dans une voiture
sonne comme un indice tiré de Tintin. Mais ce que je
sais, c'est qu'on me demande, qu'on me force à choisir
mon camp.

Il ne fait aucun doute que mon camp est du côté de la démocratie (même imparfaite), de la société de consommation, de la liberté d'expression, de l'alcool et des minijupes. Je le sais bien que si on ne me donne à choisir qu'entre George Bush et Oussama Ben Laden, je vais choisir George Bush. Mais je ne crois pas que nous sommes le Bien et qu'ils sont le Mal. Je refuse que mon allégeance soit prise en otage pour des actes stratégiques injustes, ni qu'on la prenne pour un appui inconditionnel à ce monde corporatiste et néo libéral. Je n'embarquerai pas dans un *djihad* capitaliste.

Pendant que tout le monde applaudissait la touchante solidarité des citoyens américains et du monde entier envers les victimes, dans les Bourses du monde, là où les gens agissent avec leur argent, les actions de compagnies aériennes sont en baisse, tout comme celles des compagnies d'assurances et celles de compagnies d'immobilier avec des *buildings* près du World Trade Center.

Ce qui est en hausse? Les compagnies pharmaceutiques et d'armements... Pourtant, les compagnies aériennes auraient besoin d'un peu de solidarité. Ils vont avoir besoin d'argent pour rendre leurs avions «*terrorist-proof*». D'ailleurs, on aurait pu empêcher de spéculer sur ces industries touchées directement par les attentats. Mais non. Le gars qui, dès la réouverture de la Bourse, vend ses actions d'Air Transat (on peut comprendre...) pour acheter des actions d'une compagnie qui fabrique des missiles, il fait de l'argent avec la détresse des gens. Ça prend quand même un vautour, non?... Et ça, c'est le système boursier du monde occidental: donner des tapes dans le dos des «*winners*» et des coups de pied sur le monde qui est à terre.

Et ce serait ça, l'empire du Bien?

Avec qui et contre quoi?

Le peuple américain ne doit pas se laisser leurrer, et nous ne devons pas nous tromper non plus. Ce n'est pas lui qui a été visé. Sinon, c'est la statue de la liberté qu'on aurait attaquée. Bien sûr, il y avait des cols bleus dans les édifices qui ont été victimes de toute cette horreur. Mais le World Trade Center et le Pentagone sont des symboles du pouvoir financier et militaire des États-Unis, pouvoir aux mains d'un club privé de *happy few* qui magouillent sans vergogne aux quatre coins de la planète et qui se réfugient derrière le peuple quand ça leur pète dans la face.

Ça pète!

Ramassez ensemble tous les extrémistes granolas, les angoissés du réchauffement de la planète, les désespérés de la *culture corporate*, les écœurés des humoristes à *jokes* de pets et des chanteuses à voix et/ ou à nombril, les effrayés de l'Internet, les partisans du vouvoiement, les antimondialisation, les New Age, les bérêts blancs, les féministes radicales et les hommes frustrés, les anarchistes, les *snobs* et les nostalgiques. Ça fait pas mal de monde... Ça fait peut-être même une majorité comme ça, à être tellement découragée de voir où s'en va le monde qu'elle ne se rend même pas compte qu'elle est une majorité et ne prend plus la peine d'aller voter.

Au sein de cette grande coalition des «Ça n'a pas d'allure» qui fournit certainement la majorité des suicidés du monde, on entend souvent dire: «Ça va péter. Ça ne peut pas continuer comme ça.» Et ce n'est pas tant qu'ils croient que ça va péter. Ils espèrent que ça va péter. Je le sais, je suis moi-même sympathisant...

Et ce n'est pas pour pouvoir dire triomphalement «J'vous l'avais bien dit!» en ramassant la cagnotte du *pool* de la gageure entre ceux qui disaient que ça allait continuer d'aller très bien et ceux qui croyaient que ça allait péter. Leur espérance secrète que ça pète vient plutôt du fait qu'ils vivent un malaise, un mal-être, une impression plus ou moins diffuse d'être nés à une bien mauvaise époque. Ils s'en sentent victimes (et parfois même coupables), et toute leur vie, leur sensibilité, leurs opinions ne prennent leur sens que si un jour, effectivement, ça pète.

Rappelez-vous, lors de la dernière dépression nationale post référendaire, à l'époque de la ratification de l'accord du lac Meech, les souverainistes n'avaient de cesse de dire «Ça va péter, ça va péter…» Ils étaient loin d'être sûrs que ça allait péter. Mais ils voulaient que ça pète. L'histoire leur a donné raison le temps de se rendre à un autre référendum, suivi d'une autre dépression, et nous voilà revenus à une époque où «Que ça pète» est le seul espoir pour ce projet.

Imaginez qu'une étude rigoureusement objective vienne démontrer hors de tout doute que le réchauffement de la planète n'était finalement dû qu'à une poussée d'urticaire à la surface du soleil et que le tout devrait maintenant se résorber dans les années à venir. C'est une nouvelle qui devrait réjouir tous ceux qui ont à cœur le bien-être de cette chère terre qui nous héberge si gracieusement malgré notre ingratitude crasse, non? Eh bien, soyez assurés que cette nouvelle provoquerait la consternation chez les environnementalistes!

Mais qu'ils se rassurent: on apprenait cette semaine dans *Le Devoir* que les 11 000 citoyens de Tuvalu, un archipel du Pacifique, devront être évacués à partir de 2002 puisque leurs îles sont peu à peu englouties par la montée du niveau de la mer provoquée par le réchauffement de la planète. Pas d'inquiétude, donc: ça pète.

Il y a eu beaucoup de ça dans les réactions qui ont suivi les «TADOS» («Tragiques Attentats Du Onze Septembre»), en tout cas chez nous. Sous le manteau et en sourdine de l'obligée commisération médiatique, on entendait souvent dire: «Ça devait arriver»; «Les Américains ont couru après»… Il y avait même une certaine excitation dans l'air.

Avouons-le, sinon comment expliquer qu'on ait été à ce point rivés sur nos écrans quand les avions sont rentrés dans les tours, et qu'on semble si peu intéressés par les images de la libération des Afghans ? On est bien contents, c'est sûr, rassurés aussi mais, quelque part, bien du monde aurait souhaité que ça pète encore plus que ça…

Quelques jours après le 11 septembre, une amie est tombée par hasard sur cette réflexion de Federico Fellini : « Aujourd'hui, nous sommes tellement remplis d'une indifférence froide, de verre, rigide, soporifique et impénétrable que naît en nous, à cause de cela et en secret, le désir absurde d'une catastrophe qui serait capable de secouer notre léthargie, afin que nous puissions obtenir un nouveau rapport avec la réalité et prendre de nouvelles possibilités, un malheur qui nous permettrait de renaître. » « Mets-en ! », n'est-ce pas…

[…]

Réforme du mode de scrutin

[...]

Bien sûr, si le PQ appliquait une réforme du mode de scrutin dans le présent mandat, il chercherait la formule et le redécoupage de circonscriptions en découlant qui lui rendrait le plus service. C'est normal : les fruits de la vertu sont toujours mieux transportés dans la brouette de l'intérêt que dans les mains nues de l'idéal...

Les opposants à cette réforme allèguent qu'elle entraînerait la confusion. Cela vaudrait certainement mieux que la stérilité et la platitude actuelle... Bien sûr, on n'introduit pas des éléments de proportionnelle comme ça, l'air de rien... Ce serait une réforme majeure du genre qu'on n'a pas vu depuis longtemps. Je crois même que la dernière fois que quelque chose de porteur d'autant de mordant et d'énergie est passé par l'Assemblée nationale, c'était le dentier du caporal Lortie... Je pense qu'on est dus...

Applaudissons Jésus!

[…]

J'avais envie de vous parler du temps des fêtes. C'est qu'il a beaucoup été question de Dieu et de religion ces derniers temps, et que mon pèlerinage annuel à la messe de minuit, dans une ville où j'ai de la parenté, m'a marqué.

Je ne suis pas religieux, mais j'avoue que le rituel peut me toucher et que j'en éprouve parfois le besoin. Je trouve qu'on assiste, dans notre Occident de magasins et de *showbiz*, à la disparition de tout ce qui fait «partir», comme disait Pierre Légaré. Certains retrouvent ces moments contemplatifs où l'on peut impunément tomber dans la lune en cirant ses chaussures; d'autres mettront des heures à décaper une chaise. Moi, c'est en faisant ma mousse à barbe au blaireau. Mais de temps en temps, il faut plus que ça.

C'est dans ce sens-là que je peux apprécier la messe de minuit de Noël, le *Superbowl* des messes. Avec ces phrases entendues des centaines de fois, dans le même ordre, avec les mêmes gestes. Ces chants qu'on ressort du coffre de cèdre pour les y remettre aussitôt. Je ne parle pas de croyances, ici, je parle de rituel.

Mais la messe à laquelle j'ai assisté ce Noël n'avait rien de solennel ni de transcendant. En fait, ce fut le plus grand moment de comique involontaire auquel j'ai assisté l'année dernière. Je sais que le métier de critique de messe n'existe pas, mais l'Église catholique chez nous semble en avoir besoin... Le curé, qui avait une énergie digne du *pic-bois* atomique André Lejeune, donnait l'impression de vouloir se qualifier pour le Festival Juste pour rire. La très bonne chorale réchauffait la salle depuis un bon moment et l'atmosphère était toute au recueillement quand il fit son entrée en criant: «Chrétiens, chrétiennes! Vous n'applaudissez pas la chorale?» Et les fidèles agneaux de se mettre à applaudir la chorale.

Mais qu'est-ce que c'est que cette manie de confondre une messe et un spectacle de cabaret? Ce n'est pas parce que le monde a mis du beau linge qu'on est nécessairement au gala de l'Adisq! On dirait que le *music-hall* semble être devenu notre seule référence; la télé, notre seule confession. *Alleluia* a été remplacé par «On l'applaudit!» Un peu plus et il nous demandait même d'applaudir Jésus pour être né le jour de Noël!

Mais ce n'était pas tout. Il y avait dans le jubé un petit monsieur, le bedeau j'imagine, qui manipulait à bout de bras un *follow spot* accroché précairement qui devait dater de l'époque de La Bolduc. Le petit monsieur était sûrement animé des meilleures intentions, mais certainement pas des gestes les plus précis. La célébration a commencé alors que le cercle de lumière arrivait juste en dessous du menton du curé, à qui cet éclairage donnait d'ailleurs un air plutôt satanique. Puis le *spot* a rapetissé. Il est parti en flèche vers le plafond, il a *swingé* de l'autre bord et s'est agrandi pour revenir péniblement sur le curé, cette fois, le cercle arrivant sous son nez.... schlik-zwing-schlak-waw-waw-waw... À chaque fois que le Robert Lepage paroissial devait faire exécuter un mouvement infinitésimal à son projecteur, il fallait se retaper le même genre de chorégraphie.

On se serait cru dans la désopilante scène de la chaire dans le film *Le petit baigneur*, avec Louis de Funès. Rien qui aide à prendre la messe au sérieux. Et le curé de nous demander d'applaudir son humble bedeau pour cet éclairage qu'il a lui-même patenté.

Puis, après avoir fait des *jokes* sur Ben Laden et les grottes, le prêtre a fait entrer la procession des bergers, des enfants d'une école locale à qui on avait eu l'excellente idée de donner des cannes qui faisaient sur le *terrazzo* un clac-clac-clac retentissant. Et, bien sûr, le *follow spot* tentait de les suivre… Clac-clac-clac-clac schlik-zwing-schlak-waw-waw-waw. « On les applaudit ! »

C'est ça, notre religion ? Un curé qui harangue son public comme un disque jockey de club de danseuses, des effets spéciaux, des *jokes* de *stand-up*, des processions burlesques et des applaudissements ! Bonjour la transcendance ! Cette manie de tout vouloir transformer en spectacle de variétés, cette obnubilation de la technologie, cette tendance à ne plus rien prendre au sérieux sont déjà là partout autour de nous. Une chance qu'il restait le *Glory Alleluia* final chanté de sublime façon, sinon je pense que j'aurais préféré cirer mes souliers… Pour ça, je l'apppppplaudis…

Des méfaits de la gourmandise

Chez nous la gourmandise a bonne réputation
Et porte la valeur d'un péché bien mignon
On voit chez les gourmands une saine faim de vivre
Et leur bel hédonisme est un exemple à suivre

Mais près de nous, ailleurs qu'en ce peuple cigale
Existe une planète où partout se régalent
Des fourmis égoïstes et pas du tout frugales
Se goinfrant d'intérêts tout comme de capital

Se protégeant derrière et l'offre et la demande
Elles forment un *club* privé de reines bien gourmandes
Et le butin des crimes que leur armée commet
Elles le cachent dans un trou en formant des sommets

Leurs méfaits nous rappellent que si la gourmandise
N'est souvent chez les pauvres que folie exquise
Chez les riches ignorants de toute satiété
Elle n'est que gloutonnerie, morgue rapacité

Mais comment distinguer où se trace la ligne
Entre appétit joyeux et gloutonnerie maligne
Entre tous ces bonheurs qui font prendre du bide
Et la lourde inconscience des obèses morbides?

Voyons donc un exemple où une gourmandise
Se trouva réprimée sans que personne ne dise
Que c'était brimer là un droit fondamental
Je vous parle bien sûr des repas cannibales…

Ne faites pas semblant que vous êtes choqués
Ne dit-on pas parfois « Elle est belle à croquer » ?
J'avoue d'ailleurs moi-même, devant certains corps nus
M'imaginer souvent un singulier menu :
Des mollets de danseuse bien grillés aux pruneaux
De l'épaule de serveuse au chutney d'abricot
Des fesses et des moules, à la diable, à la louche
J'ai juste en y pensant déjà l'eau à la bouche
Et je souhaite en secret que certaines amies
Lèguent en mourant leur corps à la gastronomie

Pardonnez-moi, c'est vrai, cette ogre fantaisie
Ne nous éclaire en rien sur le thème choisi…
Mais songez que les meurtres des mangeurs d'humains
Avaient au moins ceci d'économiqu'ment sain :
Le vainqueur magnanime, en mangeant son prochain,
Faisait qu'aucun des deux, après coup, n'avait faim…

Or si la pensée seule de plats anthropophages
Vous bloque l'estomac et coince l'œsophage
C'est que vous comprenez que même votre appétit
Ne saurait tolérer qu'un autre en eut pâti
En ça, la gourmandise est comme la liberté
Elle finit où commence la faim de l'affamé.

Au-d'là de cette limite, c'est de la gloutonnerie
Et l'Amérique jadis toutes de muscles et d'esprit
Est clairement devenue une nation gastrique
D'obèses écrasants, d'*outremangeurs* sadiques

D'ailleurs à ces gourmands qui pensent tout acheter
Appréciez l'ironie – le monde est un marché…
Partout ailleurs au monde où pousse un peu d'espoir
L'Amérique se l'arrache pour poser ses mangeoires
Et livre à son bétail les plus beaux territoires
Ou encore, assoiffée, pour siphonner l'or noir

En des pays fragiles et titubant encore
Elle perce pour ses pailles et les âmes et les corps

Voulant tout ingérer, elle fait de l'ingérence
Et notre continent devient l'incontinence
Quand leur appétit va, tout va et on voit bien
Que leur faim justifie leurs énormes moyens
Devant tant de grosseur et grotesque et grossière
Peut-on mêm' s'étonner que certains suicidaires
Aient envie de vengeance et cherchent au plus tôt
À couper dans ce gras, même à coups d'exacto?

Sans faire l'apologie de ces sombres intégristes
Comprenons seulement ce qui fait qu'ils existent
S'ils pèch'par la fureur, qu'ils meurent donc tous brûlés
On est toujours puni par où l'on a péché

À cet égard, amis, le réel ironise
Et nous ramène enfin à la dite gourmandise
Où l'Occident entier américanisé
Par George W. Bush se trouve représenté

Or qu'est-il arrivé à ce puissant junior
Pendant que tout là-bas, ses *boys* luttaient encore
Et qu'on l'eût cru plutôt astreint à travailler
Sinon avec sa tête, du moins d'arrache-pied?

Monsieur le président regardait la télé
(Un bon match de football) sans doute un peu paqueté
Sous l'effet de quelques blondes gazéifiées
Et mangeant des bretzels, gourmand, sans se méfier…

Mais c'était sans compter sur un de ces bretzels
Sans doute sympathisant des talibans rebelles
Qui, attentant aux jours du simiesque George,
Est venu se coincer quelque part dans sa gorge

Manquant d'air au cerveau – c'est ce qu'a dit la science
Le président tomba – deux secondes d'inconscience
Il fallut ce bretzel pour révéler le fait
Que cette grave inconscience ne le quitte jamais

Et qu'importe après tout qu'il fût droit ou tordu
À ce bretzel héros, tous les honneurs sont dus.
Il rappelle que l'on peut – et que Bush se le dise –
Périr d'être coupable de trop de gourmandise.

Considérations collatérales

[...]

L'art de la guerre, depuis quelques décennies, consiste pour une large part en un exercice de sémantique. Voyez à quel point le département des Communications de l'armée américaine a été productif: lors de la crise des missiles cubains, alors que John F. Kennedy était au pouvoir, on a évité de parler d'un blocus (*blockade*) car c'eût été un acte d'agression. On a donc parlé d'une quarantaine, mais c'était la même chose. La guerre du Viêtnam était officiellement une opération policière. Au Nicaragua, les mercenaires payés par les États-Unis pour déstabiliser le gouvernement socialiste étaient des *freedom fighters*. Depuis la guerre du Golfe de papa Bush, on ne doit pas parler de victimes civiles mais de pertes collatérales. Et maintenant, voici les combattants illégaux. Quel enrichissement culturel! La droite américaine a raison, les dépenses militaires font vraiment avancer la société...

Et nous, pauvre Canada, on essaie de suivre... Pour faire sa part, le gouvernement Chrétien a tenu à envoyer des soldats en Afghanistan. Mais quand ils sont débarqués sur le terrain beige pâle des opérations avec leurs uniformes vert forêt, le monde entier a pu réaliser ce que nous savons depuis longtemps au Québec. Quand le fédéral fait quelque chose, il s'arrange pour que ce soit VI-SI-BLE. Sheila Copps peut être fière: on les aura vus, nos soldats canadiens!

Puisqu'il est question de camouflage, ça me rappelle le scandale financier du courtier en énergie Enron qui a commis pour des milliards de dollars de fraude et dont les dirigeants étaient très proches de Bush. Pourtant, jusqu'à maintenant, cette proximité pour le moins suspecte ne semble pas du tout affecter la popularité du président, qui a atteint récemment des sommets dans les 80 %. Il semble donc qu'aux États-Unis les *crosses* en dessous de la table soient beaucoup moins dangereuses politiquement que les pipes…

L'imm-unité canadienne

On se scandalise beaucoup, ces temps-ci, de découvrir le nombre d'agences de publicité et de relations publiques qui n'existent qu'en raison des accointances libérales fédérales de leurs patrons. On s'étonne de l'ampleur de leurs contrats et des pitoyables stratagèmes de facturation utilisés pour nous faire payer à tous plusieurs centaines de milliers de dollars pour trois copies d'un même rapport bâclé.

[...]

L'inénarrable Diane Francis, du *National Post*, prétend que le Canada est ici victime des mœurs politiques douteuses des Québécois qui, tant au fédéral qu'au provincial, ont de tout temps été plus enclins à ce genre de trafic d'influences que les purs Anglo-Saxons au *fair-play* légendaire. Pour une fois, je trouve qu'elle a raison. Mais elle omet de préciser que ces manigances sont d'abord le fait de politiciens fédéralistes issus du Québec et de leurs amis. Tout ça me fait penser à un livre paru en 1997 sous la plume du sociologue québécois Stéphane Kelly, *La petite loterie*. Kelly y étaye la thèse que le Canada a gagné la soumission (apparente) des Québécois par l'octroi de toutes sortes de petits privilèges à une certaine élite politique et économique. En clair, en pays conquis, les premiers à s'enrichir et à prendre du pouvoir sont ceux qui acceptent de collaborer avec le conquérant. Les oisillons affamés qui ouvrent grand le bec pour faire commanditer leurs événements par la feuille d'érable en sont les descendants directs.

Pourtant, la doctrine libérale voudrait nous faire croire qu'il n'y a qu'un peuple au Canada et que personne ne domine personne. Or même leur chef prouve le contraire. Jean Chrétien a déjà fait en entrevue une déclaration qui m'a intrigué pendant des années. Il disait que, lui aussi, il aurait bien aimé qu'on gagne la bataille des plaines d'Abraham mais que, « Que voulez-vous ? », on l'avait perdue, qu'il en avait fait son deuil et qu'il fallait aller de l'avant.

Qui ça « On » ? Qui a perdu ? Si un bord a perdu et l'autre gagné, c'est qu'il y a deux bords, donc deux peuples, non ? Pourquoi alors leur gouvernement a toujours refusé de le reconnaître ? Et puis n'est-ce pas là l'aveu d'une mentalité de collabo ? Quand on fait carrière en politique, c'est soit pour des idées ou une cause, soit par simple soif de pouvoir ou de richesse. Jean Chrétien a depuis longtemps prouvé qu'il n'était pas en politique pour ses idées. Et on peut se demander si l'acceptation d'une défaite comme source d'allégeance au Canada n'encourage pas plutôt les vocations politiques cyniques et profiteuses que la réelle défense des intérêts d'un peuple. Ou de l'autre, d'ailleurs.

Il serait peut-être temps de le dire aux Canadiens anglais qui se font embrigader dans cette obsession stérile, de leur démontrer que si le Québec fait toujours partie du Canada, ce n'est que le fait de quelques collabos cyniques qui travaillent avec acharnement à maintenir le système qui leur permet de s'en mettre plein les poches sous l'immunité que leur procure le fait de servir l'unité canadienne. Tous les Canadiens paient pour ça. Et à voir à quel point le Québec leur apparaît comme une société ethnocentrique et inférieure, le reste du Canada finirait sûrement par trouver que c'est beaucoup trop cher payer et nous laisserait partir sans trop nous embêter. Suffirait juste de leur montrer le vrai montant de la facture.

Et il n'y aurait pas besoin de faire trois copies…

Le *human* interest

Il fallait commémorer le 11 septembre. C'était un passage obligé. Et j'ai même été agréablement surpris de la sobriété de la plupart des cérémonies et des «spéciaux» sur le 11 septembre. Mais mon esprit tordu me fait faire un Colombo. Ce que j'appelle un Colombo, en l'honneur du célèbre détective à l'imperméable, c'est ce mouvement qui vous fait revenir sur vos pas en disant: «Y'a un p'tit détail qui me chicote…»

Avez-vous remarqué que, quand un acte terroriste fait des victimes, et d'ailleurs, c'est la même chose pour les catastrophes naturelles, ces victimes, du moins celles dont on nous parle dans les médias, sont toujours des personnes fantastiques. Ce sont toujours des enfants modèles, des pères de famille exemplaires, des épouses admirables. On nous ressort leurs plus belles photos devant la dinde de l'Action de grâce, on croirait avoir affaire à une annonce de banque ou de compagnie d'assurances. En plus, il me semble qu'ils sont plus beaux que la moyenne.

Je vais vous donner un truc: pour éviter d'être un jour victime d'un acte terroriste, soyez méchant. Insultez vos enfants une fois de temps en temps, rendez la vie misérable à votre conjoint et il ne vous sera jamais fait aucun mal. Ou alors trompez votre femme, tiens. Voilà une histoire que j'ai lue dernièrement dans un entrefilet. Le 11 septembre, un homme se rend à son travail au World Trade Center. Sa femme reste à la maison. La télé est allumée. Quand elle voit un avion s'encastrer dans la tour où son mari travaille, elle capote et tente immédiatement de le rejoindre sur son cellulaire. Il est calme. Elle, elle est paniquée.

« Chéri, ça va ? Tu es en sécurité ? » « Mais bien sûr, je suis au bureau… » Évidemment, pour ne rien savoir de ce qui angoissait tant sa femme, il n'était pas au bureau *pantoute*… Imaginez l'étrange émotion que ça doit faire d'apprendre, avec soulagement, que son mari est en vie une fraction de seconde avant de découvrir qu'on voudrait le tuer. Ce fut le premier divorce relié au 11 septembre. Moi, ça m'a comme rassuré. Ça m'inquiétait un peu de voir à la télé que l'Amérique n'était peuplée que de gens courageux et formidables.

Loin de moi l'idée de faire de l'antiaméricanisme primaire. Je crois que je peux même humblement me targuer d'un antiaméricanisme collégial, si ce n'est universitaire. Je trouve juste que, dans cet exercice pourtant nécessaire de deuil social et de décoration des héros, il se glisse une autre utilité à toutes ces commémorations : celle de marquer encore plus de quel côté est le Bien et de quel côté est le Mal. Que ce soit volontaire ou non n'y change pas grand-chose.

Car enfin, avez-vous vu d'aussi beaux reportages sur les victimes civiles des bombardements en Afghanistan ? Avez-vous vu le brave Abdoulaye quitter sa femme le matin du 13 octobre pour se diriger avec sa charrette de figues vers le marché qui fut bombardé pour punir des talibans avec qui il n'avait rien à voir ? Avez-vous vu cette jeune Palestinienne décapitée par un obus israélien alors qu'elle allait rejoindre son amoureux pour se fiancer ? Avez-vous vu l'histoire de ce charmant bambin tchétchène qui voulait devenir médecin pour guérir la jambe de son oncle blessé par des éclats d'obus russes, fauché par un autre obus ?

Ce n'est pas tant dans l'information que nos médias sont biaisés et trop souvent utilisés par le pouvoir. C'est dans le *human interest*. C'est pourtant inattaquable. Personne ne peut être contre la vertu. Personne ne peut être contre les pompiers, les enfants modèles, les pères de famille exemplaires ou les épouses admirables. Mais à force d'être sans arrêt exposés aux vertueux, on renforce la perception de l'Autre en tant que méchant informe et sans visage. Un ennemi générique. Une cible méritante. C'est justement ce que font les terroristes, qui par ailleurs ne manquent pas de héros et de martyrs.

Il faut commémorer, on ne pouvait pas passer à côté. Mais ce qui me réjouit, c'est de voir le courage d'une humoriste comme Reno, une Américaine que le 11 septembre n'a pas empêchée de continuer de trouver Bush simiesque et de se moquer du patriotisme obligé de tout ces *kids-kodak* de la douleur qui confondent la saine critique avec la traîtrise. CTV nous l'a montrée sur scène au Festival du film de Toronto. Drôle, *punchée*, virulente et pourtant jamais froide ou insensible. Elle est mon héroïne de l'après-11 septembre à moi.

Maintenant, j'ai juste hâte de voir un reportage sur les pompiers de Kaboul.

Le *moron*

Déjà que Junior Bush trouvait qu'on avait des frontières aussi pleines de trous qu'un immeuble à Kaboul, qu'on subventionnait illégalement notre industrie du bois d'œuvre, alors qu'on ne dépensait pas assez pour notre armée, voilà maintenant qu'en plus on le traite publiquement de *moron*. J'ai bien peur que le jour n'est pas si loin où Junior Bush va reprendre ses crayons à colorier et qu'il va inclure le Canada dans l'axe du Mal. Collectionneur de références bibliques, peut-être verra-t-il bientôt une occasion de donner raison à la vierge de Fatima qui a dit: «Pauvre Canada.»

L'accumulation de *bitcheries* entre le Canada et les États-Unis est vraiment sans égale dans l'histoire récente. Même au temps du protectionnisme à la Trudeau, l'atmosphère semblait plus détendue. Mais là, Chrétien s'en va dire qu'il y a un lien entre terrorisme et pauvreté, on fait une étude sur la marijuana thérapeutique et on veut ouvrir des piqueries. On fais-tu exprès pour aller *gosser* dans toutes les lubies irrationnelles des Américains?

En plus, cette semaine, au lancement de la peinture officielle de Brian Mulroney au parlement d'Ottawa, il se pointe un quidam qui brandit un petit drapeau américain. Quelle situation absurde. C'était un parfait *catch 22* diplomatique. D'une part, le Canada a encore une fois l'air fou parce qu'un quidam a réussi a déjouer la sécurité du Parlement, en ces temps où tous les pays doivent démontrer une poigne de fer pour les questions de sécurité. Mais en sortant le gars *manu militari* devant les caméras, l'image que ça donne, c'est quand même celle d'un drapeau américain qu'on sort à coups de pied. Ça ne fait pas très « bon voisin ».

Déjà qu'au lendemain du 11 septembre, Bush omettait de remercier le Canada et même, plus tard, de serrer la main de Jean Chrétien. Et puis, quand l'armée américaine a tué trois soldats canadiens « par erreur », ils ne se sont excusés que du bout des lèvres, tout en ne changeant rien à leurs politiques dans le bois d'œuvre. Et désormais, quand quelqu'un de chez nous va chercher du gaz avec une carabine de chasse non chargée dans sa valise, ils le gardent des mois en prison. Et on parle d'imposer le même genre de taxe sur le blé que sur le bois d'œuvre.

Et le pacte de l'automobile? Et Kyoto? Peut-on s'étonner maintenant qu'au Canada on traite le président américain de *moron*? Revenons d'ailleurs sur le terme « *moron* ». Dans nos médias, certains l'ont traduit par « crétin », et j'ai aussi vu « imbécile ».

En terme d'insultes, comme Plume Latraverse l'a démontré dans son si poétique *Tango des concaves*, la nuance est importante. Et je crois que « *moron* » a désormais trouvé une niche dans notre vocabulaire québécois.

L'imbécile est la plupart du temps inoffensif. Il peut même être sympathique, comme dans « imbécile heureux ». Le niaiseux est un distrait. Le crétin déclenche plus la colère, ce qui suppose qu'on pourrait espérer mieux dans son cas mais que ça n'arrive toujours pas. Le *cave* implique une certaine notion de *ploucquitude*, d'habitant mal dégrossi, mais ça peut s'arranger, on dit bien « arrête de faire le *cave* ». Le con, quant à lui, est un urbain mesquin, surtout en relations personnelles (comme dans « pauv'con! »). Le *gnochon* est plus malhabile que profondément inintelligent.

L'épais a quelque chose de temporaire, on lance souvent «'stie d'épais!» à des amis qui viennent de dire quelque chose d'épais. Mais c'est un statut de pigiste. Le *twit* est déjà plus avancé, c'est un épais qui a obtenu sa permanence.

J'en passe, mais pour en revenir au *moron*, c'est le terme qui transforme le plus l'absence d'intelligence en tare génétique. On ne naît pas crétin, on le devient (d'où le verbe «crétiniser»). On peut naître cave, mais on peut arrêter de l'être un jour. Alors qu'on naît *moron* et on meurt *moron*. Sauf que ce n'est pas un handicap, les *morons* réussissent trop bien pour être victimes de quoi que ce soit. C'est plutôt une race ou une lignée. D'ailleurs, ils ont tendance à se tenir ensemble, comme on dit: «une *gang* de *morons*», et même à avoir le pouvoir. Le *moron* ajoute aussi à l'inconscience de ses actes une sorte de malveillance égoïste.

C'était donc le terme précis le plus approprié pour parler de Bush. Peut-être était-ce épais de le dire. Mais ce n'est certainement pas *twit* de le penser.

Longueuil-Sherbrooke

Il y a des petites nouvelles qui me restent longtemps collées dans le fond de la tête. Comme cette semaine, par exemple, on a beau allumer les projecteurs sur des grosses affaires comme la politique de l'eau du gouvernement québécois ou le rapport Romanow, en plus des crimes sordides et des juteux sondages habituels, rien à faire, la seule nouvelle qui retient mon attention c'est cette petite niaiserie : désormais, la station de métro Longueuil va s'appeler « Longueuil – Université-de-Sherbrooke ».

À l'annonce de ce projet, il y a quelques mois, j'avais rigolé. L'idée me semblait saugrenue. *Come on!* L'université est à deux heures de route ! Et là, paf ! Ce sera chose faite ! J'en suis réduit à me perdre en « Hein ? Quoi ? De kossé ? ». Comme quand j'ai appris que Radio-Canada avait offert à Mario Dumont seul de présenter la série *Bunker*, comme pour l'élection de Bush, comme quand on avait nommé Mario Tremblay entraîneur du Canadien, je me dis : ça s'peut pas.

C'est le genre de détail qui me donne l'impression que je ne comprends rien au monde et qu'en fait cette nouvelle ouvre une faille qui me révèle que je ne vis que sur une mince croûte de réalité et que, juste sous mes pieds, il y a une imposante masse d'absurde en fusion qui pourrait tout engloutir d'un moment à l'autre.

Qu'il y ait une personne pour suggérer qu'on ajoute à l'appellation du métro Longueuil le nom de l'Université de Sherbrooke, je peux le concevoir.

Qu'une majorité de gens de l'université *estrienne* soient même en faveur de la proposition, passe encore. Mais qu'une telle idée ait réussi à faire son chemin à travers tous les comités de la STM et autres instances décisionnelles, ça me *badibulgue*.

Au tout début du métro, la seule université mentionnée était l'Université McGill. Et encore, c'était juste parce que le métro s'arrêtait à la rue du même nom. Puis, il y a eu la ligne bleue avec la station Université-de-Montréal. Après, ce fut au tour de Concordia de vouloir son bonbon, et nous nous sommes retrouvés avec la station Guy-Concordia. L'UQÀM ne voulant pas demeurer en reste, nous voilà maintenant avec la station Berri-UQÀM.

Jusque-là, c'est un peu bébé la la, mais bon, ça fait toujours bien pour une ville de montrer qu'elle a tout plein d'universités et puis, si jamais un étudiant étranger se perd dans le métro, ça peut être utile. Mais l'Université de Sherbrooke au métro Longueuil? Si au moins la station avait changé de nom pour *ploguer* un généreux donateur qui aurait permis d'éviter une hausse des tarifs. Même pas, les changements de signalisation se feront en partie aux frais de la STM. Le prétexte, c'est que certains cours de l'Université sont donnés dans des locaux situés près du métro, à Longueuil. Ça sent la magouille de chambre de commerce, ça…

C'est une autre manifestation de la culture du « super bon *flash* ». Les élus Longueuillois ont dû se frotter les mains en voyant leur ville ainsi promulguée au rang prestigieux des villes universitaires. O.K., ça ne fait de mal à personne et on n'efface pas un nom, on ne fait qu'en ajouter un. Les coûts seront minimes. Ça *plogue* une université, ça devrait être super positif… Mais ça n'a aucune logique. Ça ne respecte pas la géographie et ça peut même induire en erreur. Parce qu'il y a déjà une station Sherbrooke, figurez-vous donc.

Une fois la digue de la rigueur géographique dynamitée, que pourra-t-on répondre à quelque établissement d'enseignement que ce soit qui voudra se voir *ploguer souterrainement*? « T'es pas assez *hot* »? Il n'y a plus aucune balise. Puisque la seule logique est de baptiser la station LA PLUS PROCHE du nom de l'université qu'elle dessert, on pourra se retrouver avec une station Angrignon–Université-d'Ottawa, Atwater–Collège-LaSalle, et pourquoi pas Honoré-Beaugrand-La-Sorbonne!

D'ailleurs, afin d'éviter toute confusion, la station Sherbrooke devrait céder sa place à la station Carré-Saint-Louis–ITHQ. Et puis, il faudrait réparer l'injustice originelle. Le métro McGill, je l'ai déjà dit, fait référence à la rue du même nom, pas à l'Université. Il faudrait donc baptiser cette station « McGill–Université-McGill ».

Le message que ça envoie, ce n'est pas tant que Montréal est une superville de savoir avec cinq universités représentées dans son système de transport en commun. Ça dit surtout qu'un pays qui fait preuve d'autant de mollesse intellectuelle ne doit pas avoir des universités très rigoureuses. Et si ça me reste autant collé dans la tête, c'est que si nos grandes politiques se décident de la même manière que nos petites, on n'est vraiment pas dans la bonne direction.

Les *losers*

En début d'année, c'est la tradition chroniqueuse de faire le bilan de l'année précédente ou d'en analyser l'événement le plus marquant, ou encore d'aborder un grand sujet philosophique, genre parler de paix, de justice sociale, des belles affaires de même.

Moi, j'ai eu un *flash* en regardant la télé américaine. Plus que la violence, plus que l'argent, les États-Unis pratiquent le culte de la compétition. En fait, il s'agit moins d'un amour de la compétition que de l'adulation du *winner*. L'Amérique veut des gagnants, des héros. Dans tout et n'importe quoi. À la pelletée.

Regardez le cinéma américain. Pour la majorité des films, si vous ne l'avez pas vu, vous pouvez avoir un bon résumé simplement en demandant : « Pis, c'est qui qui a gagné ? » Le bon, bien sûr. Les bons gagnent tout le temps dans les films américains. Oh ! il arrive bien que les méchants arrachent quelques victoires mais, en général, ils manquent dramatiquement de *timing* ! Ils ont l'étourderie de gagner leurs batailles bien trop longtemps avant le générique, ce qui laisse le temps au bon de revenir se venger.

Mais là où le culte du *winner* vient d'exploser, c'est à la télévision. Il y avait déjà à la télé américaine un nombre incroyable de jeux-télévisés mais, depuis quelques années, un type d'émission a déferlé sur l'imaginaire américain : les émissions-épreuves.

Ça a commencé, je crois, par *Survivor*. Puis, il y a eu le très *phony Temptation Island*. Et maintenant, il y a *Fear factor*, une série d'épreuves épouvantables, et, dans le style plus peinard, *Who wants to marry a millionnaire* et le ridicule *Elimidate*, où un gars se retrouve avec quatre compagnes avec qui il sort et, à chaque étape, il doit en éliminer une.

Et c'est sans compter les concours de «talent» où, en chanson comme en lutte, on vous fabrique sous les yeux une nouvelle vedette qui commence très bien sa carrière, puisqu'elle est une *winner*.

Je crois que tout ça finit par avoir des effets secondaires sur la psyché américaine. On dit que c'est la violence et le nombre de fusils par émission qui causent tant de problèmes aux États-Unis. Je crois que c'est plutôt le culte du *winner*. En fait, surtout l'occultation du *loser*.

Dans les films comme à la télé, le perdant disparaît simplement. Il n'est plus là, il est *zappé*. Le héros peut donc se retrouver tranquille avec la *pitoune*. Des fois, on voit la main du méchant gigoter sous les décombres de son repaire détruit, et là on peut se dire: «Ah ah! il y aura un *part two*!». Mais il finira par mourir pour de bon.

Dans les émissions-concours, le gagnant se retrouve avec la bourse et les séances de photos. Dans *Survivor*, on éteint la torche du candidat éliminé, puis il marche dans le soleil couchant, on le voit faire un petit laïus d'adieu et puis *that's it*. Envoyez le générique.

Or dans la vie, les *losers* ne se laissent pas faire comme ça. La fille que vous n'avez pas choisie s'entraîne pour devenir super en forme et revient cruiser votre meilleur ami. Si le *loser* meurt, il a une famille derrière lui qui jurera de le venger. S'il survit, c'est pire. Parce que dans la vie, il n'y a pas de générique. Il y a toujours une prolongation. Les *losers* ne s'en vont pas dans le soleil couchant. Ils font cent pas, se cachent derrière un buisson et jurent de revenir au bon moment.

Mais la culture américaine est toujours surprise de ne trouver aucune résignation chez les perdants. J'ai déjà entendu un Américain s'étonner du fait qu'on parlait toujours français au Québec. Il disait : «Vous avez perdu la guerre, pourquoi parlez-vous toujours français?» Parce qu'il n'y a pas de générique, mon pote. Pas plus que pour vos Indiens, d'ailleurs.

Regardez la politique extérieure américaine. Ils agissent comme s'ils étaient dans une émission de télé ou un jeu vidéo. «Nous allons gagner et le problème sera réglé, les ennemis seront *zappés*. Envoyez le générique.» C'est cette mystique qui cause tous les torts. Car après le combat, il reste des survivants qui vont mariner dans leur humiliation et jurer de se venger. Si on veut la paix dans le monde, il ne faut pas préparer la guerre. Il faut juste accepter de ne pas être le *winner* trop souvent, et pas sur tout. C'est mon message à nos dangereux voisins américains en ce début d'année : attention. Il n'y a pas de générique…

Prouver l'inexistence

Aucune tâche au monde n'est plus difficile que celle de prouver l'inexistence de quelque chose. On pourrait plus facilement vendre des condoms *small* ou battre le Parti libéral du Canada. C'est d'ailleurs sur cette impossibilité que sont basées toutes les religions, car l'inexistence de Dieu est encore plus difficile à prouver que son existence. Avant, on croyait qu'il était là-haut dans le ciel. Maintenant qu'on sait scientifiquement qu'il y a un important vide sidéral au-delà de notre planète, on dit qu'il est ailleurs, partout, en soi, que ce n'est pas si simple que ça. Les raéliens prétendent qu'il est juste sur une autre planète. Dieu n'est pas mort, il a seulement déménagé sans laisser d'adresse.

Mais il n'y a pas que Dieu. Le monde foisonne de légendes auxquelles les gens prêtent foi. Il y a des espèces en perpétuelle voie d'apparition comme les monstres du Loch Ness et du lac Pohénégamook. On a beau avoir envoyé des plongeurs dans les moindres recoins du lac, avoir fouillé au sonar et avoir installé des caméras de surveillance, rien n'y fait. Des gens croient encore qu'il y a une caverne sous-marine où il se cache. Comme pour le Yéti, le Sasquatch et les monstres sous le lit.

[...]

D'ailleurs, l'absence de preuve tangible finit par constituer une sorte de preuve en soi. C'est la preuve qu'un complot est encore plus fort quand personne n'en a entendu parler. Le *Weekly World News* est un tabloïd délirant qui présente des nouvelles absurdes et farfelues. J'y ai déjà lu un article qui soutenait que les gorilles étaient bien plus intelligents qu'on pense et qu'ils pouvaient même parler. Mais pourquoi diable personne n'avait-il encore jamais entendu parler un gorille ? Parce qu'ils sont tellement intelligents qu'ils perçoivent quand on les observe et qu'ils cessent alors de parler, car ils savent qu'ils seraient alors capturés par des humains pour servir d'attraction dans un cirque, avait révélé un gorille ayant conservé l'anonymat. Voyez comme ils sont intelligents !

Au besoin, on peut même en fabriquer, des preuves. Avec quelques bouts de ficelle et des journalistes soucieux de ne pas manquer le *scoop*, on peut faire croire à l'existence de bien des choses. On nous a bien montré, en 1990, une pouponnière koweïtienne ravagée par les méchants soldats de Saddam. C'était un canular digne des pires épisodes de *Scoobi Doo*, mais il a fait long feu. Et il y a encore des antisémites qui croient dur comme fer au protocole des sages de Sion, cette preuve du complot juif international qui a été fabriquée de toutes pièces.

L'inexistence ne se prouve donc pas. C'est pourtant la mission de la Commission d'inspection de l'ONU qui doit prouver que l'Irak ne possède pas d'armes de destruction massive. C'est l'équivalent d'une fouille aux douanes à la grandeur d'un pays. Il restera toujours un doute sur une armoire oubliée, un tapis de mosquée qu'on aurait omis de retourner, une usine de couscous qui fabriquait de l'anthrax avant que les Irakiens ne la transforment à la dernière minute... On finit même par laisser entendre que peut-être l'Irak a-t-il temporairement prêté son arsenal à des pays voisins pour le temps des inspections. Ça me fait penser à cette histoire que mon père me contait quand j'étais jeune. Un homme gesticulait de façon étrange au milieu de la rue. Un autre gars arrivait et lui demandait ce qu'il faisait. Le gars disait: «J'essaye de *pogner* des *spydooms*.» – «Kessé ça, des *spydooms*?» – «Je l'sais pas, j'en ai pas encore *pogné*...»

C'est qu'au-delà des difficultés de la preuve rien n'est plus humiliant que de croire fermement à quelque chose et de se voir prouver que ce n'était pas vrai. Quand on a beaucoup insisté, il est même souvent plus facile de nier la preuve que de reconnaître son erreur. Vaut mieux passer pour fou. W. Bush ne reconnaîtra jamais que l'Irak n'a pas d'armes de destruction massive (même s'il le sait sûrement depuis longtemps...). Il pourrait, à la limite, décider de ne pas déclencher la guerre pour ça, mais jamais il n'admettra s'être trompé là-dessus.

C'est ainsi qu'on a envoyé Hans Blix et ses troupes en Irak à la chasse aux *spydooms*. Toujours rien? C'est juste qu'ils n'en ont pas encore *pogné*...

Les chemins de l'enfer

« Les chemins de l'enfer sont pavés de bonnes intentions. » J'ai toujours trouvé cette citation fort jolie. J'imagine une horde de bien-pensants en camisole, s'éreintant à travailler au pic et à la pelle à installer de jolis pavés bien lisses sur une large voie, moralement repus juste à se croire du côté du Bien, mais aveugles à remarquer que c'est le diable qui est déguisé en *foreman* et qu'il rit dans sa barbe parce qu'il sait, lui, que cette large voie qu'on aménage mène droit en enfer, juste après l'échangeur.

Et puis, à voir à quel point c'est le bordel en Afrique après tant d'années de missions et d'aide humanitaire bien intentionnée, on ne peut douter de la justesse de la maxime.

Mais l'inverse est-il vrai ? Je veux dire, se pourrait-il que les chemins du paradis soient pavés de mauvaises intentions ? L'idée paraît saugrenue. Comment pourrait-on atteindre le bonheur éternel à coup de trahisons, de manipulations malveillantes et d'astuces comptables ? Et pourtant…

Les mauvaises intentions ont sur les bonnes l'avantage d'être intéressées. On peut agir pour de bonnes raisons désintéressées, mais rarement peut-on y mettre autant d'énergie que lorsqu'il y a, au bout de l'effort, un bénéfice personnel. Et on dirait que plus le bénéfice recherché est injustifié ou mesquin, plus l'énergie mise à l'atteindre est grande.

Regardez Jean Chrétien aller ces derniers temps. D'abord, il ose déclarer que le terrorisme est lié à la pauvreté. Ensuite, il signe Kyoto. Et maintenant, le voilà qui tient probablement la position la plus pacifiste que le Canada peut raisonnablement adopter publiquement face aux États-Unis, et qu'en plus il propose d'assainir le financement des partis politiques fédéraux.

On a vu l'homme aller trop longtemps avec son style matamore ivre de pouvoir pour ne pas comprendre que ces nobles réalisations cachent une tout autre motivation. En fait, Chrétien ne semble avoir qu'une obsession: nuire à Paul Martin. Et peu importe ce qu'on pense de Paul Martin, vouloir systématiquement nuire à quelqu'un pour de triviales raisons de rivalité personnelle ne peut constituer autre chose qu'une mauvaise intention.

Paul Martin a toujours joui d'une meilleure image que Jean Chrétien. C'est lui, le bon gars de ce dynamique tandem du *good cop, bad cop*, l'idéaliste, le Grand. Or Jean Chrétien s'évertue à miner son terrain. En faisant, juste avant de quitter, tous les bons *moves* nobles, démocrates et courageux qui peuvent se faire, il réduit la marge de manœuvre de Paul le Juste. Et même si Martin prend quand même le pouvoir, sa lune de miel avec l'électorat sera écourtée par toutes ces belles décisions qui seront déjà prises. Chrétien est donc ainsi en train de s'assurer une place moins honteuse dans l'histoire, juste parce qu'il veut tant nuire à son adversaire.

Sauf que pour la démocratie au Canada, c'est tout bénéfice! Ces mauvaises intentions sont en train de mener à la plus belle *batch* de mesures gouvernementales fédérales depuis un bon moment.

Mais il n'y a pas que Martin avec qui Chrétien règle ses comptes, il y a aussi les souverainistes québécois.

Cette invasion qu'il prépare dans le domaine de la santé, soi-disant pour défendre les intérêts de tous les Canadiens face aux méchants gouvernements provinciaux, avec des exigences comme l'établissement de soins à domicile et autres belles idées, si on n'est pas déjà très imbibé de ferveur nationaliste, c'est très bien perçu.

On sait très bien que c'est pour gruger encore un peu les compétences provinciales et avoir de la visibilité. Mais, en soi, ce n'est pas mauvais. D'ailleurs, le public n'est que très peu touché par le *déchirage* de chemises péquiste. Le peuple veut l'argent et, même chez certains souverainistes, comme on est d'accord avec les conditions, on ne voit pas pour quelles raisons on s'en passerait. On se fout des mauvaises intentions, tant que le geste nous éloigne de l'enfer…

Alors je souhaite vivement que Jean Chrétien continue son méchant travail. C'est encore ce qu'il fait de mieux!

Alerte brune

Comme ça, il paraît qu'on est en alerte orange. J'avais oublié l'existence de cette échelle de Rumsfeld instaurée peu après les attentats du 11 septembre. Quelle trouvaille médiatique incroyable! Cette échelle d'alertes, qui fonctionne par couleurs, permet de faire la météo de la terreur. Jaune, c'est *relax*, mais il faut rester vigilant. Orange, on s'inquiète. Il pourrait se passer quelque chose. Il devrait se passer quelque chose. Et alerte rouge, alors là, *go*, on capote, il va se passer quelque chose...

En général, dans les médias, quand on nous sert des avertissements, c'est qu'on peut réagir et se préparer à ce dont on nous avertit. Avertissement de froid intense: on met ses *combines* et sa grosse tuque. Avertissement de pollen: les allergiques se planifient une journée de jeux vidéo. Avertissement de risque d'inondations: on prépare la chaloupe et on monte le divan de la cave à l'étage.

Mais suite à un avertissement d'attaque terroriste, on fait quoi? On s'enferme à la maison? On évite de prendre l'avion ou de participer à un événement public? On se fait un scaphandre en *duct tape*? On ne sait pas. Et si les autorités américaines en savent plus, elles ne veulent rien nous dire parce que personne n'est sûr de rien et que ça pourrait créer une psychose... ben voyons!

C'est vrai que si on déclare que Cleveland est visée par les terroristes, la ville de Cleveland va se vider. Et s'il ne se passe rien, vous aurez tous les commerçants de

Cleveland sur le dos pour perte de revenus. Il faut éviter ça à tout prix. Et comme, par définition, le terrorisme attaque de façon sournoise n'importe quelle cible au moment où, justement, on ne peut pas s'y attendre, on ne peut rien faire. On peut juste capoter de façon générale. On peut juste en vouloir à ces maudits terroristes qui répandent un tel sentiment d'incertitude et de peur.

En fait, cette échelle est un instrument d'injection de ressentiment public. Alerte jaune, on trouve la situation très complexe et embêtante, mais c'est la vie. Alerte orange, on commence à en avoir plein son casque de vivre sous la menace. Alerte rouge, ça va faire, on ne peut pas continuer comme ça à se faire écœurer, vas-y mon Doublevé, lâche les chiens... Il était donc incontournable, dans la construction de l'escalier de peur qui doit servir d'alibi à l'invasion de l'Irak par Bush, que le niveau d'alerte fonce d'un cran.

Car c'est le genre de concept qui passe très bien dans les petites bandes qui défilent au bas des écrans des chaînes spécialisées d'information. C'est tellement concis et imagé que ça peut facilement passer pour un fait. Joseph Facal prend sa retraite, le Dow Jones chute de 2 points, nous sommes en état d'alerte orange, il fait – 15 degrés Celsius...

Mais wow, là, qui a dit qu'on était en alerte orange ? Les seuls météorologues accrédités sont au service du régime en place à Washington. Après tous les canulars ayant servi aux Américains à déclencher des guerres au cours de l'histoire récente, et après qu'on ait intégralement recopié un vieux travail d'université dans le dossier des preuves contre l'Irak, en plus de quelques insolences d'un cellulaire mal enregistrées et autres futilités grossies à la loupe, on voudrait que je prête foi à ce jeu de réglette de la paranoïa ?

C'est tout le fumeux concept de guerre préventive qui pave la voie à ce genre de *gadget* de manipulation. Or, il serait temps de le dire, la guerre préventive est une supercherie. Arrêtez de me faire peur avec vos histoires de menaces : les méchants doivent prouver qu'ils sont les méchants en frappant les premiers. C'est triste, ça donne l'occasion aux méchants de faire des morts, mais c'est mieux que d'en faire soi-même d'abord. Après, on peut riposter par les armes. Et parfois même, contrairement aux pacifistes les plus radicaux, je crois qu'on doit le faire. Mais la crainte ne devrait jamais être une raison. Parce qu'il est infiniment plus aisé d'inventer une crainte que de commettre soi-même un attentat pour justifier ses vues (même si ça non plus n'est pas impossible).

Tous les enfants le savent. Si on se bat, on peut toujours s'en tirer en disant que c'est l'autre qui a commencé. Mais dire que l'autre ALLAIT commencer, c'est une excuse digne de se retrouver dans sa chambre et privé de dessert.

Alors à quand un indicateur pour nous avertir qu'on est en train de se faire manipuler ? Je propose que les médias diffusent, parallèlement à tout ce qui émane de sources dont on peut douter de la bonne foi, une autre échelle de couleur. Gris : on est en train de nous embrouiller volontairement. Taupe : on nous cache les vraies affaires. Et enfin, brun... Je vous laisse deviner, pour le brun... Et inutile de vous préciser que, présentement, nous vivons en permanence sous une alerte brune...

Mecca-Cola, etc.

J'ai lu cette semaine un article fort intéressant dans *Le Devoir* qui présentait un produit pour lequel le terme révolutionnaire n'est pas qu'une astuce de marketing. Il s'agit du Mecca-Cola, une boisson gazeuse politisée. Lancée par un petit commerçant français d'origine tunisienne, Tawfik Mathlouthi, le breuvage brun à bulles a le *look* et la saveur du Coca-Cola, mais la révolution n'est pas là. Elle est dans le fait que 10 % des profits de la vente servent à soutenir un organisme qui vient en aide aux enfants palestiniens victimes de la guerre, et qu'un autre 10 % va à des œuvres charitables européennes.

La référence à La Mecque dans le nom du produit ne laisse aucun doute, Mecca-Cola est un cola musulman qui se veut une réponse à l'invasion américaine sur le champ commercial, mais aussi militaire. On peut lire sur la bouteille : « Ne buvez plus idiot, buvez engagé ». Mathlouthi avance aussi, comme argument de vente, que ça fait des sous en moins à Bush pour aller attaquer des Arabes.

En ces temps où, partout en Occident, on parle de plus en plus de déficit démocratique et de la perte de confiance des citoyens en leurs institutions politiques, ce concept arrive à point nommé. Puisque l'argent est la seule force qui semble dorénavant compter, il nous permet de voter avec notre argent. Il donne enfin un sens politique au pouvoir du consommateur.

On peut facilement imaginer d'autres exemples. Pourquoi pas une barre de chocolat pour venir en aide à l'Afrique? Des Chips contre les OGM? Une bière d'épinette pour l'indépendance du Québec?... Dans le cas de Mecca-Cola, la référence religieuse me dérange bien un peu, mais l'occasion de faire un pied de nez aux USA en détournant une image aussi symbolique que celle du Coca-Cola me plaît trop pour ne pas me donner soif de cette boisson politique.

Sauf que... plus loin dans l'article, on apprend que le commerçant derrière ce produit est un pro palestinien de la mouture la plus radicale. Il ne veut pas seulement un État pour les Palestiniens, ou la fin des colonies sauvages israéliennes, des contrôles humiliants et des provocations. Il souhaite la disparition pure et simple de l'État d'Israël, qu'il considère comme une création du sionisme. Le Mecca-Cola prend soudainement un drôle de goût...

Le hasard a voulu que, dans cette même édition du *Devoir* de jeudi dernier, paraisse en page *Idées* une longue lettre de Stephen Schecter, professeur au Département de sociologie de l'UQÀM. J'ai rencontré il y a quelques mois ce monsieur Schecter pour réaliser avec lui une entrevue dans le cadre de l'émission *Points Chauds*, à Télé-Québec portant sur Israël.

Monsieur Schecter tient dans cette lettre un peu les mêmes propos qu'il m'avait tenus. Je me souviens que, lors de notre entrevue, son argumentation passionnée et sa défense de la société israélienne en général, et même des positions politiques controversées du gouvernement Sharon, m'avaient étonné. Je me méfiais de l'unilatéralisme de ses opinions et je trouvais que sa vision était résolument tronquée. [...] Mais il m'a permis de mieux comprendre pourquoi tant de Juifs israéliens pensent comme lui.

Au cœur de la peur israélienne, il y a deux choses qui ressortent : la duplicité du discours propalestinien et la récurrence des appels à la destruction d'Israël à l'intérieur du mouvement propalestinien. Or, on peut penser ce qu'on veut de la politique israélienne, il reste que les Juifs d'Israël, eux aussi, sont un peuple et qu'ils ont droit à leur État. Et même, peu importe comment et pour quelles raisons profondes l'État d'Israël a été créé, et pourquoi, là, il reste que ce territoire est maintenant habité par des Juifs depuis des générations et qu'ils ont le droit d'y vivre en paix.

On peut être contre l'expansionnisme des colons juifs en terre palestinienne sans souhaiter la destruction d'Israël. Sauf qu'il faut faire attention avec qui on s'associe dans la lutte pour soutenir les Palestiniens. Et on ne réglera aucun problème en buvant le Coke d'un antisémite.

Indigne du Parti libéral du Québec

J'ai regardé le débat comme on regarde le Superbowl ou un match de hockey. C'était une occasion idéale pour pratiquer des imitations, voir quels stratagèmes chacun prendrait pour ne pas répondre aux questions, prendre note des idées suggérées par chacun (j'avais un petit *post-it* jaune et il m'est resté de la place), et m'aider un peu à décider pour le 14 avril.

On a pu remarquer que Mario Dumont s'enfonçait de plus en plus dans un rire niaiseux de grand garçon gêné qui parle à sa matante. On a aussi pu voir que Jean Charest se postait souvent comme une *guidoune* et que la gestuelle de Landry donnait l'impression qu'il lançait des fléchettes. Jusque-là, c'était rigolo.

Mais quand Charest a lancé sa référence à une obscure allocution de Jacques Parizeau devant une centaine d'étudiants à Shawinigan, c'est devenu le match du Vendredi saint. Ce n'est pas seulement un coup bas dont on peut bien se plaindre mais qui, du point de vue partisan, est un sacré bon coup. C'est un dérapage démagogique dangereux pour le Québec, et ce, tant pour les fédéralistes que pour les souverainistes.

Si monsieur Charest disait clairement: « Je crois au Canada, je crois au Québec dans le Canada », il ferait un travail utile et même noble. Mais il n'essaie même pas de convaincre les Québécois des atouts du Canada. Sans doute sait-il la tâche impossible, mais c'est une autre question. Il cherche à discréditer le mouvement souverainiste en l'associant à de bien honteuses choses comme le racisme. En ce sens, c'est le politicien le plus canadien-anglais du Québec. On croirait entendre Diane Francis ou Mordecai Richler.

Et si on regarde bien, on voit que cette stratégie chez lui dépasse la tentation d'un coup d'éclat frauduleux mais isolé pour détourner un débat. N'est-ce pas sous sa gouverne et avec la complicité empressée de Lucien Bouchard que le Parti libéral a magouillé pour transformer les propos d'un simple citoyen non élu et que ça devienne «L'affaire Michaud»? Que des *nationaleux* disent des conneries, ça peut arriver. Surtout quand on déforme tout ce qu'ils disent pour que ça ait l'air raciste. Mais depuis que Charest est à Québec, faut avouer qu'ils ont un puissant haut-parleur. Il *distorsionne* à fond, mais il crache!

Or, si on revient aux propos de Parizeau, la plupart de ses critiques disent qu'il n'a pas dit de faussetés le 30 octobre 1995, mais que l'odieux venait du moment dramatique choisi, que cette constatation aurait dû rester un sujet d'analyse statistique et sociologique, mais pas l'objet d'une déclaration solennelle aux allures d'accusation. D'ailleurs, j'ai souvent vu des libéraux se vanter et même se trouver une légitimité de l'appui indéfectible d'une majorité d'immigrants à leur parti. Mais ça, ça ne fait jamais la une. Qui est coupable d'envenimer le débat, ici? Celui qui a un vieux baril de poison dans son grenier et qui tente de s'en débarrasser, ou celui qui va le chercher pour nous le *pitcher* dans la face?

Et Charest a l'outrecuidance de dire que l'idée de souveraineté, et avec elle le parti qui la propose et qu'il doit battre pour prendre le pouvoir, divise le Québec. Mais le Québec EST divisé. Qu'on aime ou non Landry, il a au moins à cœur d'unifier le Québec. La paix des braves en est une preuve. Le maintien d'une loi linguistique faisant en sorte que le français soit le lieu de rencontre de tous les Québécois en est une autre. Même les fusions forcées avaient au moins ce mérite pour l'île de Montréal. Mais Charest, lui, se nourrit de cette division comme une hyène se goinfre dans une plaie ouverte.

Quand il ouvre la porte aux défusions pour mettre de son bord les ex-petits maires de ghettos anti-Québécois qui ne veulent rien savoir de vivre dans une ville à majorité francophone et qui rêvent que leur enclave serve d'assise à la partition si on fait l'indépendance, est-ce qu'il fait un travail d'unité? Quand il veut ramener l'anglais dès la maternelle alors que la question ne passionne que quelques colonisés et divise les experts, il ne vient pas fragiliser un équilibre gagné de haute lutte, équilibre d'ailleurs à qui plusieurs attribuent le fait que le Québec fasse toujours partie du Canada?

Charest a été éjecté du fédéral et parachuté au Québec pour sauver le Canada. C'est ça, son «agenda à lui». Mais pour réussir sa mission, il utilise des armes toxiques et des bombes à fragmentation qui minent l'avenir du Québec, que ce soit comme pays ou comme province. Car les souverainistes sont aussi des Québécois. Salir leur option par des accusations calomnieuses de racisme, c'est jeter de l'huile sur un feu qui n'est pas encore allumé, mais auquel il suffira désormais d'une étincelle pour que ça flambe. C'est non seulement indigne d'un premier ministre, c'est indigne d'un chef du Parti libéral du Québec. Pour tout dire, ce n'est même pas digne d'une *guidoune*.

Aller ne pas voter

[...]

C'est lundi qu'on ira aux urnes et je suis tout mélangé. Jean Charest affirme qu'un vote pour l'ADQ est un vote pour le PQ. Bernard Landry laisse entendre qu'un vote pour l'UFP est un vote pour la droite, et Mario Dumont dit qu'un vote pour le PQ ou le PLQ, c'est la même chose. Le Québec est donc le premier État du monde avec un mode de scrutin inversement proportionnel.

[...]

Mais, dans ce cas, ces personnes pourtant politisées passent dans la masse apathique des non-participants. Si c'est votre cas, vous avez un message à faire passer: que notre mode de scrutin actuel ne convient plus et qu'il étouffe toute notre vie politique. Au moins, levez-vous et allez annuler votre vote. Votez pour les deux candidats qui vous rejoignent, marquez un gros OUI sur le bulletin, cochez une case avec une crotte de nez, faites ce que vous voulez. Les votes annulés sont comptabilisés et s'ils sont en hausse, ça voudra dire quelque chose.

Lundi, à défaut d'appuyer un candidat ou un parti, montrez au moins que s'il y a quelqu'un qui est paresseux, manque de courage et à qui la démocratie ne tient pas à cœur, ce n'est pas vous.

Mariage gai, débat triste

[…]

J'ai eu l'occasion d'en discuter cette semaine avec un couple gai civilement uni. Bizarrement, c'était les premiers gais que je rencontrais qui étaient en faveur du mariage gai. Tous les autres que je connais, même ceux qui sont en couple depuis longtemps, trouvent l'institution du mariage ringarde et tout le débat sur le mariage gai plutôt ridicule. L'appui au mariage gai, dans mon entourage, provient surtout de *straights* sans doute soucieux de démontrer qu'ils sont modernes et ouverts d'esprit.

Ce couple me disait qu'il ne réclamait pas du tout le mariage religieux. La religion est libre d'établir les croyances qu'elle veut. Si les gais veulent se marier religieusement, ils n'ont qu'à se partir une religion et à se construire des églises. D'ailleurs, ça serait sûrement une bonne idée : les églises gaies seraient sûrement décorées avec un goût impeccable et je suis très curieux de la forme que pourraient prendre leurs clochers… Mais là n'est pas la question. Les gais veulent seulement avoir le droit au mot « mariage » pour décrire leur union.

À ce titre-là, bien sûr, pourquoi pas ? Personne n'a le pouvoir d'interdire un mot à qui que ce soit. J'ai bien lu quelque part que les multinationales étaient des « personnes morales », que Lise Dion était géniale et que Gérald Tremblay était le maire de Montréal.

Ce qui m'achale le plus dans tout ce débat, c'est que si on émet la moindre réserve, on est tout de suite associé à des conservateurs bornés. Beaucoup de gens choisissent leur camp sur le sujet en cherchant seulement à être « *in* », à être du bon bord de l'opinion publique. Pour être plus précis, il y a un discours tout fait d'avance qu'il est de bon ton d'accepter sans discuter. Et ça me semble encore plus dangereux que les préjugés que ce discours voudrait abattre.

D'ailleurs, le couple que j'ai rencontré m'a fait part d'une réaction qui m'a bien fait rigoler. Ils ont vu aux nouvelles des images d'une manifestation qui avait réuni, entre autres religions représentées, des hindous, des juifs et des musulmans qui s'opposaient unanimement au mariage gai. Ils m'ont dit: «On est super tolérants, on accepte ces gens-là dans notre pays et ils ont le culot de venir nous dire ce qu'on devrait faire…»

C'est drôle, la vie, des fois…

14 septembre 2003

Les vétérans

C'était le 11 septembre cette semaine, mais plutôt que de commémorer la triste chute de deux tours qu'on a amplement vengées depuis, j'avais plutôt envie d'accepter l'invitation de commémorer ces trois tours humaines et bien debout (Edgar Fruitier, Richard Garneau et Jacques Languirand) qui sont des monuments de la radio et qu'aucun avion, si détourné soit-il, ne saurait menacer.

Je m'estime privilégié d'avoir pu croiser sur mon chemin de si vénérables personnages. J'y ajouterais bien un certain monsieur LeBigot, mais c'est encore un jeunot comparativement aux autres. De plus, ça le ferait rougir et, avec sa barbe, ça fait un drôle d'effet.

Tout petit, déjà, je les connaissais. Surtout Edgar Fruitier, qui était la voix derrière le père de Viky, le chef des Vikings du village de Flak. Je l'ai ensuite entendu à la radio mais aussi vu souvent à la télévision, où il a été l'hôte des édifiants grands esprits. Je suis presque groupie devant la voix du M. Burns des Simpsons. Aussi, ce fut un moment inoubliable quand, à l'occasion de la lecture d'un conte de Noël que j'avais écrit pour cette émission, il avait accepté de jouer le rôle du père Noël. Mais je regrette de ne pas lui avoir proposé un plus grand défi de comédien.

Car Edgar a aussi été le champion du contre-emploi pendant quelques années, notamment à *Beau et Chaud*. Je comprends tout à fait qu'on ait pu avoir ce genre de *flash* pour Edgar, car ce grand romantique ébaubi devant la belle musique donne envie qu'on le bouscule. Et il réagit si bien qu'on en redemande. J'ai d'ailleurs des suggestions plein la tête de rôles où j'aimerais bien voir Edgar Fruitier. Je me permettrai d'ailleurs ce matin d'en lancer quelques-uns à l'attention des scénaristes et réalisateurs du Québec. Edgar Fruitier en chef indien; Edgar Fruitier en lutteur sumo; Edgar Fruitier en mère supérieure; Edgar Fruitier en motard. La liste est sans fin.

Je n'ai pas eu le bonheur de croiser très souvent Jacques Languirand. Mais je l'ai fréquenté radiophoniquement. Juste assez pour me rassurer sur le fait que parler tout seul pouvait être une preuve de santé mentale. Et ensuite, juste assez pour m'inquiéter sur le fait qu'il ne fallait pas pousser la santé mentale trop loin. Je crois que son émission *Par quatre chemins* est ce qui ressemble le plus à un électro-encéphalogramme qui se mettrait à parler. J'adore ces traversées de la nuit en compagnie de ce guide loquace et fascinant.

C'est comme si j'embarquais dans un taxi intergalactique dont le chauffeur aurait été M. Languirand. Voilà ce que c'est, pour moi, Jacques Languirand: un taxi pour l'univers.

Quant à Garneau, ce gentleman à qui le rôle d'un James Bond québécois aurait été comme un gant, il ne faut pas se laisser leurrer par sa voix élégante et son port altier d'aristocrate. Richard Garneau est un grand enfant. Toujours curieux de tout, grégaire et enjoué. Pour un homme de son expérience, il est déroutant de candeur et de simplicité. Non seulement il ne joue pas de son prestige, il arrive même parfois à me faire sentir comme si c'était moi qui avait cinquante ans d'expérience. Vu les conditions d'embauche qui prévalent pour ma génération dans le domaine, ce n'est pas prêt d'arriver, alors j'en profite...

Pourtant, il pourrait passer son temps à faire du *name-dropping* à propos de toutes ses formidables aventures autour du monde en tant qu'analyste sportif. Mais non. Cet homme qui, en m'ayant fait découvrir la sauteuse canadienne Debbie Brill dans les années 70, m'a fait connaître certains de mes premiers émois, semble ignorer la stature qu'il a.

D'ailleurs, ils sont tous un peu comme ça, nos trois vétérans des ondes. Ils ont l'humilité des débutants, car ils savent qu'ils ne font toujours que débuter. Et je ne peux qu'admirer la passion et la soif de savoir qui marquent, chacun dans leur domaine respectif, ces trois amis. Sans eux, que saurais-je de Brahms, de Nietzsche ou de Garmisch-Partenkirschen ?

Voilà trois hommes qui, depuis plus de cinquante ans, ont permis aux Québécois de se coucher moins niaiseux. Et plus heureux. C'est un triple-bouclé piqué *tripatif* sur un *adagio* de joie de vivre. Et je les en remercie.

La rivalité

Avec des dizaines d'autres personnalités des médias francophones, le Comité Québec-Israël m'avait invité cette semaine à une journée de découverte à propos de la communauté juive à Montréal. Nous avons visité l'exposition des manuscrits de la mer Morte au musée de la Pointe-à-Callières, puis le musée de l'Holocauste de Montréal et nous avons ensuite pris part à un dîner-discussion avec quelques membres de la très importante communauté juive de Montréal.

Notons au passage une récente adaptation dont nous devrions nous réjouir. Auparavant, ce regroupement portait le nom de Comité Canada-Israël, section Québec. Le choix des mots n'étant jamais innocent, l'appellation « Québec-Israël » dénote une sensiblité à l'identité québécoise qui ne peut qu'aider les Québécois à rendre la pareille à l'identité juive. Personne ainsi ne devrait avoir l'impudence de parler d'un comité Québec-Palestine, section Israël...

Les visites étaient fort intéressantes, quoique trop rapides pour la richesse de chaque exposition. Et je ne conseille à personne de visiter un musée de l'Holocauste juste avant de manger. Mais c'est surtout la discussion qui a suivi qui a contribué à m'ouvrir les yeux sur une dimension de la question israélo-palestinienne.

En tant que Québécois, il nous est très difficile, voire impossible, de saisir l'ampleur du problème. Nous avons connu une conquête il y a de ça bien longtemps, et des amis du nouveau régime se sont évertués depuis des siècles à en minimiser la violence. Depuis, nous vivons dans la sécurité la plus totale, et même les révolutions que nous avons connues ont été tranquilles. Les deux seules vraies crises de notre histoire moderne, celle d'Octobre et celle d'Oka, ont fait un mort chacune.

En comparaison, s'il fallait nommer un pont pour chaque victime du conflit israëlo-palestinien, on pourrait se rendre de Montréal à Jérusalem en auto. Et ici, il n'est pas pertinent de faire le décompte des morts de chaque côté, juste de mesurer l'échelle. Alors quand j'entends des Québécois dire que ça n'a pas d'allure ce qui se passe là-bas, que les Israéliens n'ont qu'à retirer leurs colonies sauvages des territoires occupés, que les Palestiniens n'ont qu'à arrêter de se faire exploser dans des autobus, je me dis juste que c'est trop facile.

C'est vraiment la première impression que j'ai eue en entendant nos hôtes juifs répondre à une question posée sur ce conflit. Et en cherchant désespérément un exemple récent de notre histoire pour nous aider à se faire un peu une idée de ce qu'ils peuvent vivre là-bas, tout ce que j'ai pu trouver, c'est la rivalité Canadien-Nordiques.

Rappelez-vous les belles années de cette lutte épique. Il y avait de l'électricité dans l'air. En rétrospective, certains parlent même de folie. Tout ça a occasionné des batailles dans les bars, des chicanes de famille, des boycotts de produits Molson ou Labatt. Tout ça pour deux équipes de pousseux de *puck*. Et un certain Vendredi saint, cette rivalité a culminé en une disgracieuse flambée de violence qui a pourtant été applaudie par les partisans des deux camps.

Je m'en suis souvenu, moi l'ex-Nordique, en discutant avec mon ami *Zapartiste* Christian, qui a le CH sur le cœur. À l'époque, j'avais défoncé ma porte de chambre après une décision injuste d'un arbitre. Et quand Louis Sleigher avait *knocké* Jean Hamel d'un coup de poing fulgurant, je jubilais. Pour Christian, ce Sleigher est depuis un nom honni, alors que je ne peux pas cacher mon sourire quand je repense à ce coup pourtant épouvantable. Et la rancune est toujours là, même si les Nordiques sont partis. Reparlez donc à Michel Bergeron du but d'Alain Côté, lui qui se levait la nuit pour haïr le Canadien (et je cite!).

À cette époque, nous ne pouvions avoir aucune objectivité. À la limite, c'était même ça qui était le *fun*. Toute punition contre notre équipe était douteuse ou scandaleuse. Quand c'était contre les opposants, il était à peu près temps, simonac! Aucun *fan* du Canadien ne vous dira que le but d'Alain Côté était bon. Aucun partisan du *fleurdelysé* ne vous dira que l'arbitre a eu raison de le refuser.

Et ça ne s'arrêtait pas aux arbitres. Les médias étaient biaisés, la ligue, tout était soupçonné. C'est à ça que j'ai pensé en entendant un de nos hôtes dénoncer un certain retour de l'antisémitisme dans les médias. Remarquez, j'aurais vu un Palestinien me parler d'anti-arabisme que j'aurais sans doute eu la même réaction. C'est à ce moment que j'ai déclaré, pour alléger l'atmosphère, que je faisais partie du peuple fumeur et qu'il fallait que je sorte pour en griller une.

Mais imaginez, Canadien-Nordiques multiplié par des millénaires, mutliplié par deux religions, multiplié par deux langues, multiplié par un territoire où des millions de partisans de chaque côté sont entassés et multiplié par des milliers de morts jusqu'à maintenant. Imaginez-vous un peu comment ce conflit peut être enraciné?

Maintenant, ajoutez une ultime multiplication: dans ce cas-ci, il n'est absolument pas question qu'une des deux équipes déménage…

La feuille qui reste

En sa triste beauté l'automne est prolifique
Et ce feu d'artifice né de la botanique
A de tout temps nourri la muse des poètes
Ses couleurs inspirant la plume des esthètes.

Ainsi les feuilles mortes se ramassent à la pelle
Disait je n'sais plus qui mais l'image quoique belle
Oublie de témoigner d'un curieux phénomène
Qu'inévitablement chaque automne ramène

Regardez les feuillus de votre voisinage
Une fois mis à nus, sans leur joli feuillage
Presque sans exception ils conservent encore
Quelques feuilles obstinées qui s'accrochent à leur corps

Elles sont recroquevillées, sèches, cassantes et brunes
Et même bien souvent, il n'en reste plus qu'une
Mais elle reste bien là, pugnace et solitaire
Lançant comme un défi aux rigueurs de l'hiver

La sève n'y est plus, tout comme la chlorophylle
Et même le soleil, peu à peu, se défile
Elles n'ont plus d'énergie et semblent ridicules
À conserver leur lien, ce maigre pédicule

Croyant qu'il s'agit là d'une simple anomalie
Personne n'y prend garde, si bien qu'on les oublie
Le destin de ces feuilles pourtant me touche au cœur
Et j'aimerais que chacun comprenne leur valeur

À les voir persister, d'abord, on pourrait croire
Qu'elles ont été plus fortes et que c'est une victoire
Or si elles ont gagné, c'est un prix bien cruel :
Elles devront affronter la neige, le vent, le gel
Et quand enfin le ciel se fera plus clément
Elles seront écartées des fêtes du printemps

Car quand la branche et l'arbre seront libres de glace
Une toute nouvelle feuille viendra prendre sa place
L'anachronique alors sera jetée par terre
Retrouvant les cadavres de ses congénères

On pourrait se moquer de ce destin tragique
De tous ceux qui s'obstinent contre toute logique
Et voir dans la passion des damnées du feuillage
Une perte d'énergie, un triste gaspillage

Mais sans ces courageuses ne s'avouant pas vaincues
Le grand arbre tout seul aurait-il survécu ?
Cette feuille n'est-elle pas cette fidèle amie
Qui fait garder l'espoir même aux jours les plus gris
Qui se moque du froid et brave les tempêtes
Et qui dit : ça ira, je suis là, ne t'inquiète

Est-ce l'arbre qui les garde en souvenir de l'été
Ou si la feuille elle-même en a la volonté
Je ne saurais le dire mais il reste une chose
Il faut des feuilles brunes pour qu'il y ait des fleurs roses

Et il en est des arbres comme d'autres sujets
Où les modes en passant balaient certains projets
Qui serait oubliés sans l'entêtement digne
De phares bien allumés qui persistent et qui signent

Cette feuille c'est nous, notre génération
Dans un hiver comptable, aux vents de la raison
On voudrait nous faire dire que nous laissons tomber

Que nous n'avons pas l'choix, que le temps est passé
Qu'il faut s'abandonner à ce grand mouvement
Que toute résistance ne durera qu'un moment

Et si pour le moment mon pays c'est hiver
Accrochons-nous encore, rêvons de jours plus verts
Et si je dois tomber, que ce soit au printemps
Quand de jeunes bourgeons me pousseront en fêtant

Voilà pourquoi je vois en ces feuilles tenaces
L'inspiration de suivre en tout temps, tout espace
Les rêves qui m'habitent, qu'importe qu'ils soient fous
Qu'importe qu'on en rie ou si même on s'en fout

Se résigner toujours fut un geste nuisible
Soyons donc réalistes : exigeons l'impossible
Comme personne ne sait ce que sera demain
C'est mon devoir de feuille à l'arbre des humains

De Chrétien à Martin

Chrétien s'en va! Le plus improbable premier ministre qui ait pu exister termine sa carrière politique. Bien sûr, les caricaturistes et les imitateurs sont en deuil. Ce vieux matamore aux allures de Frankenstein mal engueulé était un personnage rêvé. Je me souviens l'avoir déjà imité à des amis libanais qui s'en venaient vivre au Québec avant qu'ils ne l'aient vu. Les enfants, particulièrement, trouvaient la voix et la bouche croche très drôles. Leurs parents croyaient que j'en rajoutais. Quand ils ont finalement vu le vrai à la télé, ils n'en sont pas revenus. Je n'exagérais donc pas! Jean Chrétien est vraiment comme ça!

Ça a toujours été comme ça avec Jean Chrétien. D'étonnement en étonnement jusqu'au sommet. Quand il est devenu premier ministre, ça m'a fait le même effet que quand Mario Tremblay a été nommé entraîneur du Canadien. Ça ne se pouvait pas. Alors imaginez si Mario Tremblay avait gagné la Coupe Stanley cette année-là, mais aussi les deux suivantes, qu'il avait été ensuite promu à la direction de l'Équipe olympique canadienne et que son équipe avait décroché la médaille d'or.

Quand j'étais plus jeune, je n'en revenais pas non plus de voir cet homme, à qui le rôle d'un idiot de village me paraissait mieux convenir, être le bras droit de Trudeau. On aurait dit une paire de méchants dans une série de dessins animés. Le petit charmeur sournois et sa grande brute épaisse.

Et vous savez quoi? J'ai l'impression qu'au Parti libéral non plus ils n'en revenaient pas. Sinon, pourquoi les libéraux ressentiraient le besoin de changer de chef pour Paul Martin? Ils ont dû se dire un jour: bon, poussons pas notre *luck*, Ti-Jean nous en a donné bien plus que ce à quoi on pouvait s'attendre mais, là, on veut que notre affaire ait de l'allure. Chrétien aura donc finalement eu raison de tout, sauf de son propre parti. Quelle cruauté.

Quand on y pense sans œillères partisanes, la fin du règne de Chrétien doit être épouvantable à vivre pour lui. Se faire tasser comme ça! Après qu'il ait maté le Québec, tenu tête aux États-Unis, pratiquement rayé toute opposition de la carte, on ne veut plus de lui. Des gens qui vous ont épaulés toute votre vie vous trahissent ou sont évacués avec vous. Il y a de quoi être en beau *joual vert*. Ça fait pas mal de coups de couteau dans le dos, ça. Aline va manquer de statues inuites si elle se met à en *pitcher* à tous ceux qui ont fait le coup à son mari.

Mais surtout, on n'est pas supposé changer une formule gagnante. Pas sans raison, en tout cas. Et ici, la seule raison, c'est l'ambition de Paul Martin. Me semble que ça sent la catastrophe, comme *pattern*.

Et Martin dans tout ça? Tout à l'air de baigner dans l'huile pour ce gros entrepreneur intimement lié à la puissante famille Desmarais. Sauf, que au contraire de Chrétien, Martin est un politicien *drabe* dont le premier objectif était de devenir premier ministre, comme son papa avant lui a voulu le devenir. Comme l'expliquait Lysianne Gagnon hier, dans *La Presse*, sa première ambition semble être de ne jamais froisser personne. Et puis, il a cet air de gars que la controverse va trouver. Il a quelque chose de coupable dans les yeux, de fuyant. Je ne sais pas trop ce qui va se passer pour écourter son règne, mais tout me dit qu'il ne sera pas là longtemps.

En ce sens, Sheila Copps a toutes les raisons de persister à se présenter. Tout indique qu'elle ne gagnera pas, qu'elle risque même d'être humiliée, mais il y aura un débat. Miss Drapeaux pourra ainsi prouver qu'elle est *première-ministrable*, brasser des idées. Je ne pensais jamais dire ça mais, dernièrement, je me suis pris à lui trouver bien des qualités, à la petite Copps. Si on oublie ses gros sabots en matière de propagande fédéraliste, son discours, plus social que celui de Martin, me semble prometteur.

Paul Martin a tout des grands navires de fret qu'il possédait jusqu'à tout récemment sous des pavillons de complaisance et qu'il a transférés à ses fils pour éviter les conflits d'intérêts. Ça fait un bout de temps qu'il roule et il transporte beaucoup mais, au fond, il pourrait casser en deux à tout moment. Comme il n'y a pas de tempête à l'horizon, il continue son chemin. Et personne n'a sérieusement tenté (à part Chrétien…) d'en inspecter la cale. Parce qu'il n'y a pas que les pavillons des navires qui peuvent être complaisants. Les médias et le public aussi. Mais ça, ça ne durera pas très longtemps.

Démocratie en sous-traitance

Maintenant que tout le monde s'est tanné du psychodrame des Expos, le dossier des fusions municipales est en passe de devenir la nouvelle saga au Québec. Tout le monde veut savoir comment se sentait le maire au sortir de sa rencontre avec Charest, quelles *binnes* avaient les défusionnistes. Des membres du clan Tremblay l'ont trahi et ont quitté son parti, Bourque lui a tendu une main (et une paire de menottes) qu'il a refusée. Qui restera, qui partira, quel pourcentage de vote ça prendra? Mais où est donc la téléréalité quand on en a vraiment besoin?

Ce n'est pas seulement aux assemblées du conseil municipal qu'il faut placer des caméras. C'est partout. Je veux voir la colère de Gérald le Placide, cocufié de tous côtés. Je veux pouvoir espionner les réunions de Peter Trent et ses complices. Je veux enfin voir Robert Libman déchiré par son hésitation entre le plaisir évident qu'il prend à assumer de hautes responsabilités dans un grand Montréal et son indéfectible attachement à la communauté juive et anglophone, largement défusionniste. Et puis, avouez que voir des syndicats et la Chambre de commerce de Montréal faire partie de la même coalition pour un Montréal uni, c'est assez audacieux. Ça, ça ferait de la maudite bonne *télé*.

[...]

Mais même en exigeant que 50 % plus un des électeurs inscrits aillent voter, la démarche est toute croche. En fait, Charest galvaude complètement le mot démocratie, comme d'ailleurs il galvaude le mot mandat. Les référendums sur les défusions, c'est comme faire un référendum pour demander aux seuls riches investisseurs s'ils désirent payer plus d'impôts que la classe moyenne. C'est comme faire un référendum sur la peine de mort uniquement auprès des victimes d'actes criminels. C'est comme demander aux seuls propriétaires de char s'ils veulent qu'on augmente les taxes sur l'essence. Alors on a beau exiger une participation à 35 %, la démocratie en sort passablement écrémée.

Une tannante de chance

Je ne peux pas croire au succès de la téléréalité. D'abord, je ne peux pas croire qu'on ait donné ce nom à un genre d'émission qui a si peu à voir avec la réalité. Mettre une dizaine de *kids-kodak* assoiffés de gloire télévisuelle dans un même appartement ou envoyer un couple d'arriviste sur une plage à 24 heures d'avis n'a rien de réaliste.

Je doute aussi des chiffres qu'on nous donne car, dans mon entourage, personne n'aime la téléréalité. Et je ne peux pas croire que je fasse partie d'une élite des hautes sphères. Si vous connaissiez certains de mes amis, vous comprendriez. Pourtant, certains haïssent même ces émissions sans les avoir jamais regardées, juste en réaction au *buzz* qui les entoure.

Question de savoir de quoi je parlais, j'ai tenté de regarder *Loft Story*. D'avance, je me suis dit que si jamais j'étais le moindrement intéressé par ce que j'y découvrais, même par une fascination morbide, et que j'avais envie de re-regarder, il fallait que je le dise. En fait, je me sens tellement *flabbergasté* par le succès de ces émissions que j'aurais bien aimé y trouver quelque chose. Je me serais senti normal, moderne, en phase avec ce qui semble être une importante proportion de mes concitoyens.

Mais c'est plaaaaate! Après avoir lu et entendu des critiques dénoncer le côté amoral, profiteur, obsédé, *cheap* et menaçant pour la civilisation de ces émissions, j'aurais au moins cru trouver en *Loft Story* un genre de plaisir coupable, comme quand, en rentrant aux petites heures du matin, je *pognais* un duel entre les Buis et les Buissières au mini-putt à RDS, comme quand je regarde les conseils psycho-pop à la sauce barbecue texane du D^r. Phil. Mais non, *a-rien en toutte*, aurait dit Rosanna.

Vous rappelez-vous des *Tannants*? Cette émission phare de Télé-Métropole avait un peu la réputation qu'ont aujourd'hui les émissions de téléréalité et elle était interdite à de nombreux enfants de familles bien-pensantes qui voulaient préserver leur descendance de l'influence néfaste du spectacle dégradant de la plèbe qui se lâche *lousse* devant les caméras. Le segment le plus populaire de l'émission était le concours d'amateur « *Une tannante de chance* », qui permettait à des inconnus de venir présenter un numéro de leur choix. Les classiques étaient des monsieurs qui venaient chanter *Mexico, Mexico* pour montrer leur voix, ou qui venaient danser le robot pour se montrer tout court. Il y avait aussi des madames qui venaient chanter *Je t'attendais* avec leur beau Daniel Hétu au piano.

Le gagnant ne recevait pas un contrat de disque ou une carrière en télé. Il avait le droit de lancer une balle sur une cible pour sacrer Roger Giguère à l'eau. De la grande télé. On en riait à l'époque. Mais on regardait. Il se passait quelque chose aux *Tannants*. Il y avait des autobus de monde soûl qui venait faire une virée à Montréal. Il y avait le ridicule, le grotesque et parfois même le « coudonc, 'est vraiment pas pire ! »

Je me souviens d'une fois où j'y avais vu une petite vieille qui ressemblait à Louis de Funès déguisé en femme. La pauvre n'avait vraiment pas l'air contente d'être là. Elle avait chanté « C'est la poulette grise, qui pond dans l'église… » d'une petite voix chevrotante en conservant tout le long un regard sombre et accusateur tourné vers sa *gang* dans l'assistance qui riait comme une bande d'éléphants de mer. Clairement, elle avait perdu une gageure ou quelque chose du genre...

C'était insupportable de la voir agoniser ainsi devant les projecteurs. Tellement que j'ai changé de poste. Cinq secondes. J'avais une irrésistible envie de la revoir énumérer les poules de toutes les couleurs avec son air maussade. Pierre Marcotte et Shirley Théroux étaient maintenant à ses côtés pour sauver les meubles. «La poulette noire qui pond dans l'armoire...»

C'est à ça que j'ai pensé en voyant *Loft Story*. Devant une enfilade de mononcles soûls qui viennent giguer ou des cousines avec des broches qui pleurent en chantant du Lynda Lemay, la bande de petits insigni-fiants qui font semblant de se laisser aller avec un émetteur de micro-cravate accroché dans le cul n'ont aucune chance. Je crois que pour vaincre le virus de la téléréalité et toutes ses conséquences médiatiques catastrophiques en cet âge des empires, le Québec a besoin d'un bon vieux *freak show*. Chacun son tour, chacun sa chance, merci bonsoir, retournez chez vous. Je ne pensais jamais dire ça mais, de grâce, ramenez-nous les *Tannants*!

Le mandat

Les débats à l'Assemblée nationale ont toujours un petit quelque chose de surréaliste. Je crois que c'est dû en partie à la forme du parlementarisme britannique. Quand ils siègent, les députés n'ont pas le droit de s'interpeller directement. Ils doivent tous s'adresser au président de l'assemblée qui est assis entre les deux camps sur une chaise d'arbitre de tennis en bois massif.

Ça donne des phrases *loadées* comme : « Monsieur le président, est-ce que oui ou non le député de Saint-Jean-sur-Purin peut nous dire s'il continuera d'agir de façon arrogante et unilatérale dans tel dossier ? » Et après, le président redonne la balle au député de Saint-Jean-sur-Purin qui dira : « Monsieur le président, pour répondre au député de Laval-des-Pas-Vites, quand nos prédécesseurs étaient au gouvernement, ils ont fait bien pire que ça… » Rarement entend-t-on répondre oui ou non…

Tout ça donne l'impression d'une chicane de famille. C'est comme deux sœurs qui se sont tellement choquées l'une contre l'autre qu'elles ne se parlent plus et font passer leurs messages par leur frère plus jeune qui, lui, veut juste être ami avec tout le monde. « Antoine, peux-tu dire à Léonie que c'est une maudite folle ? » Et là, Antoine doit dire à Léonie qu'elle est une maudite folle et Léonie lui demande de dire à Anne-Sophie que c'est elle qui est une maudite folle.

Avec un système politique comme ça, comment voulez-vous qu'on ait des politiciens matures ? Cette semaine, ce cirque a atteint un sommet de surréalisme. Je ne suis pas certain, mais il me semble que jeudi, à la période de questions, il s'est battu un record pour le nombre de questions et de réponses pour une même séance.

Les élus du Parti québécois ont sonné la charge. Chacune de leurs questions commençait par : « Monsieur le président, le 14 avril dernier, le premier ministre a-t-il reçu un mandat clair pour… » et la question suivait. Démanteler l'État, nuire aux familles, saboter les efforts environnementaux, saborder le transport en commun… En langage de football, ils ont fait du *man to man*. Chaque critique officiel de l'opposition en matière de X a ainsi posé une brève question à son ministre vis-à-vis. C'était une maudite bonne occasion de passer en revue toutes les faces des gros canons de chaque parti, ce qui finit par être plus déprimant qu'éducatif.

Et chaque ministre a répondu, tout aussi brièvement, en disant : « Monsieur le président, le 14 avril dernier, j'ai reçu un mandat clair afin de… » et là, il disait quelque chose de super-positif, genre : « rendre vraiment les garderies accessibles à tous, etc, etc. » Dans les arguments de réponse, il revenait invariablement le fait que le précédent gouvernement avait été irresponsable dans ses dépenses et que l'actuel gouvernement avait un mandat de changement parce que la population en avait eu assez de l'autre *gang* et de ses façons de faire et gnagnagna et bis et ça recommence à propos des défusions, de l'agriculture, des programmes scolaires.

C'était complètement vain. Juste un exercice de rhétorique partisane, un *derby* de démolition verbale. Un vrai affrontement de camp de vacances. Chaque camp aurait aussi bien pu entonner : « Nous autres on est *peppés*, *peppés*, eux autres sont pas *peppés* » et se répondre que ça aurait été aussi constructif.

C'est vrai que ce qui se passe actuellement est épouvantable. Il est vrai aussi que la bande de cambrioleurs à Charest galvaude le mot « mandat » à tort et à travers et qu'il mérite qu'on le lui remette sur le nez. Le prochain mandat qu'on risque de lui adresser, c'est un mandat d'arrestation. Mais que l'Assemblée nationale serve à ça, c'est une perte de temps.

Quand on parle de la réforme du mode de scrutin, bien sûr, il y a le fait que ça serait bien le *fun* de pouvoir voter pour les idées qui nous plaisent au lieu de voter de façon stratégique dans le but d'éviter que le pire arrive. Mais il me semble que ce serait aussi une excellente occasion de changer la nature du processus décisionnel pour remplacer le cirque actuel.

Mais les libéraux, comme les péquistes avant eux, ont remis ce projet de réforme et d'introduction d'éléments de proportionnelle dans nos élections à plus tard. En fait, la réforme du mode de scrutin est devenue au système politique québécois d'aujourd'hui ce que les routes étaient il n'y a pas si longtemps. On peut gagner deux ou trois élections là-dessus avant de la faire. Pourtant, Charest l'avait, le mandat pour ça…

En désespoir de cause

Aaah! les sondages! On peut toujours compter sur eux pour mettre un peu de piquant dans notre vie quotidienne. Si j'étais millionnaire, je crois que je m'achèterais une maison de sondages. Chaque semaine, j'arriverais avec mes propres résultats étonnants, tout le monde serait avide de savoir ce que j'aurais à révéler et je passerais des heures à en préciser les nuances. J'appellerais cette entreprise «DKC». Trois lettres, ça fait sérieux. Et je demanderais à mes sondeurs de commencer chacune de leurs questions par «DKC que vous pensez de…».

Cela dit, on n'avait pas besoin de gros sondages pour savoir que Jean Charest et son gouvernement étaient impopulaires. Celui rendu public par Radio-Canada cette semaine permet au moins de mesurer à quel point. Ça signifie que dans ces fameux «*lobbys corporatistes*», dont parle Charest pour dénigrer les syndicats et autres groupes sociaux, il y a beaucoup de monde.

En passant, le plus drôle, c'est de voir que cette grogne contre les libéraux ne se traduit pas par une énorme augmentation des intentions de vote pour le PQ. Bernard Landry a beau sauter sur les tribunes sans être invité pour s'approprier le mécontentement syndical, c'est à Mario Dumont que ça profite le plus. Et Mario qui se plaignait que l'Assemblée nationale ne lui accorde pas assez de droit de parole! En beau ténébreux, il devrait pourtant comprendre que c'est quand il se tait qu'il marque le plus de points…

[…]

Et que penser de la crise qui s'est déroulée à Kanesatake cette semaine? Pour voir le côté positif, soulignons au moins que ce quasi-coup d'État a permis au grand public de distinguer le banditisme des revendications autochtones légitimes. Ça fait toujours ça de pris.

Mais l'attitude du ministre Gnochon dans ce dossier envoie un signal pour le moins étonnant. Je le comprends d'avoir voulu éviter que le sang coule. Après tout, le sang indien, ça vaut cher… Mais des cagoulés ont chassé un chef démocratiquement élu et ont mis le feu à sa maison. Et on a négocié avec eux. Semble-t-il que c'est parce que James Gabriel aurait un peu couru après. Depuis son arrivée au pouvoir, il aurait pris des décisions unilatérales, aurait mis plein de monde à la porte sans ménagement et se serait mis plein de gens à dos.

Ça ne vous rappelle pas quelque chose?…

Martin-Pêcheur

Après les nominations de son cabinet et le discours du trône, Paul Martin est maintenant bien en selle. Les libéraux fédéraux sont tout fiers que ce premier de classe puisse enfin sortir de l'ombre du grand dadais qui nous a servi de premier ministre du Canada le temps de servir d'épouvantail à séparatistes, afin qu'on ait enfin un chef d'État dont on pourra être fier.

Paul Martin est entouré d'une telle aura de professionnalisme et de classe qu'il apparaît comme un homme imbattable. Et pourtant... Je n'arrive toujours pas à me débarrasser de l'idée qu'il va tout de même perdre, ou alors qu'il n'arrivera à gagner qu'un gouvernement minoritaire, ce qui, pour le rouleau compresseur libéral, serait une méchante *débarque*.

Dans ses discours, Paul Martin semble animé des intentions les plus nobles. Mais ça ne suffit pas. Tout est allé trop bien pour lui depuis quelques années. Il a su naviguer entre les rébellions face à son chef et le respect de la ligne de parti. Mais si cette habileté a pu lui servir à conquérir le cœur des libéraux, sous les feux d'une campagne électorale où il sera la cible de tous ses adversaires, elle pourra apparaître comme suspecte, comme une preuve de manigances, d'ambivalence ou de lâcheté.

Par exemple, Martin tire une bonne part de sa popularité au Québec du fait qu'il était plutôt contre la *Loi sur la clarté référendaire*. Il avait donc l'air moins méchant que Chrétien. Il s'est finalement rallié et on ne l'a pas tellement *achalé* avec ça du temps qu'il était aux Finances, mais maintenant, c'est lui le chef. Est-il, oui ou non, en faveur de cette loi? S'il dit oui, il paraîtra moins bien au Québec et donnera sûrement un coup de main au Bloc, et s'il dit non, il perdra sans doute des votes dans l'Ouest, où on aime bien les politiciens qui savent mettre le Québec à sa place.

D'ailleurs, la présence de Jean Lapierre dans son équipe suscite déjà la controverse dans l'Ouest. Imaginez, un homme politique qui a fait partie des fondateurs du Bloc québécois devient le lieutenant des libéraux fédéraux au Québec! Quelle ironie! Cet opportuniste planqué depuis des années dans le rôle inattaquable de présentateur de nouvelles avait maintes fois fait la preuve que son passage au Bloc n'avait été qu'un geste carriériste. Il était alors derrière Bouchard comme il est maintenant derrière Martin. Jean Lapierre est un *téteux* de charisme.

La souveraineté n'était alors pour lui rien d'autre qu'un pari politique. Si ça marchait, il se serait rangé du bon bord juste à temps. Et si ça ne marchait pas, il pouvait attendre l'avènement de Martin pour revenir au Parti libéral, toutes ces avenues étant soigneusement entretenues à coups de souper au homard et de services médiatiques rendus. Jean Lapierre est une mouette qui tourne en rond en criant pour ramasser des morceaux de pouvoir.

Et voilà maintenant qu'il est attaqué par le Bloc pour n'avoir jamais été souverainiste, et donc pour avoir été hypocrite, alors que dans l'Ouest on lui reproche de l'avoir déjà été, ce qui laisse supposer qu'il pourrait le redevenir… C'est le destin des traîtres: ils finissent méprisés par tous les camps.

Et c'est plein d'autres dossiers, comme ça, qui risquent de péter dans la face de Paul Martin. Il y a ses fameux bateaux, mais aussi l'auberge Grand-Mère. Savait-il ce qui se passait? S'il répond que non, on pourra s'inquiéter de sa capacité à se tenir au courant des magouilles. S'il le savait, pourquoi n'en a-t-il rien dit? Et s'il répond qu'il n'avait pas le choix, Jack Layton ou Gilles Duceppe auront beau jeu de lui servir la réplique de Mulroney lors de son débat avec John Turner: Mulroney avait mitraillé Turner à propos des nominations partisanes qu'il avait faites à la demande de Trudeau. Après que Turner avait candidement avoué qu'il n'avait pas eu le choix, Mulroney lui avait déclaré: «On a toujours le choix…»

Et quand on s'entoure de gens comme Jean Lapierre, on fait de très mauvais choix…

Quelques scandales

Cette semaine, dans le *Hour*, le chroniqueur Martin Patriquin se désole des événements survenus au cours des dernières semaines, événements susceptibles de redonner vie au mouvement indépendantiste : les affirmations racistes de Don Cherry, les blagues anti-francophones du chien en caoutchouc de l'émission de Conan O'Brien, et le scandale des commandites.

[…]

D'abord le cas Cherry, que Patriquin compare à un clown. C'est vrai qu'il en a le visage et l'accoutrement. Et ses propos sont stupides et risibles. Si ce n'est d'un point de vue racial, ils le sont déjà au plan hockey et au plan sécuritaire. Cherry trouve les joueurs européens et québécois de la Ligue nationale *fifs* de porter la visière. Il apprécie un hockey de « *grinders* », de *toffes* qui n'ont pas peur de se battre et qui jouent du coude. C'est son droit. Si Cherry était un personnage de *This hour has 22 minutes*, il pourrait même aller beaucoup plus loin et on n'aurait rien à redire.

Sauf que voilà un clown payé par nos taxes et représentant le Canada dans une émission nationale de hockey. C'est là que c'est gênant. CBC est censée servir l'unité canadienne, que diable, et ce n'est pas avec des commentaires pareils qu'on soudera les deux solitudes en une communion totale !

Le problème, c'est qu'il n'a rien d'autre à dire. Il revient toujours à ça. S'il a toujours sa *job* malgré tout, c'est que ce qu'il dit doit faire plaisir à quelqu'un. Il est donc représentatif. Je tiens donc à ce que Don Cherry continue de rester en ondes et qu'il ait toute la liberté voulue, de façon à ce qu'on n'oublie jamais que ça fait plaisir à bien du monde au Canada anglais de voir les Québécois traités de *fifs* et de *scumbags*. Occulter cette réalité ne servirait à rien.

Maintenant, le roi de l'insulte, le chien fumeur de cigare de Conan. J'aime bien l'émission de Conan O'Brien et je connaissais déjà ce chien mal engueulé. Ce n'était pas mon segment préféré de l'émission, je trouvais ça facile et un peu trop gras. Mais ce qui finit par faire rire dans l'exercice, c'est justement cette liberté débridée, cette urgence d'aller *drette* dans le tabou. Il y a toute une catégorie d'humour comme ça, des blagues sur les handicapés, les malades, les victimes de famine, les nains, les Asiatiques, les Noirs. Ce qui déclenche le rire, c'est précisément l'étonnement devant l'ampleur de la transgression, la grosseur du cliché. On ne rit pas tant de la blague elle-même que de son aspect épouvantable.

Se crinquer contre ce chien en *rubber* est ridicule. Comme c'était ridicule de se *crinquer* contre les propos de Howard Stern il y a quelques années. Car voilà des clowns dûment présentés comme tels qui font l'exercice de leur liberté d'expression. Il faudrait faire attention à ne pas se fabriquer une réputation de susceptibilité exagérée. C'est pire que de passer pour des *fifs*.

[...]

Ça déboule...

[...]

Lors de la dernière campagne référendaire, on entendait souvent dire que la souveraineté allait à contre-courant de l'Histoire. On citait la chute du mur de Berlin en exemple. Les frontières tombent. Ce n'est pas le temps d'en créer de nouvelles.

Or, quand le mur de Berlin est tombé, il mettait fin à une division artificielle. Deux empires politiques avaient séparé le peuple Allemand en deux. Il a fallu construire un mur, organiser des patrouilles, tirer sur ceux qui tentaient de passer ce mur afin que la frontière tienne. Mais au bout du compte, l'indéniable réalité, c'est qu'il y avait une seule Allemagne et que tous les efforts de Moscou pour nier ce fait ont été vains.

Ici, il n'y a pas de mur. Au contraire, c'est l'unité qu'on maintient en vie artificiellement, à coups de drapeaux, de festivals, de programmation subtilement propagandiste, d'annonces de fromage canadien, de Parcs Canada, de bourses du millénaire, de graissage de pattes... Et on a tiré, professionnellement parlant, sur tous ceux qui tentaient de dénoncer cette arnaque généralisée de l'interne.

La grande manifestation d'amour organisée à Montréal à la fin de la dernière campagne référendaire en témoigne : il a fallu de l'argent pour l'organiser. Beaucoup d'argent. De l'argent public de contribuables pour envoyer des *rednecks* qui s'en foutaient faire de la figuration pour des politiciens que cette unité de façade avantage.

Ce n'est pas comme si ce déferlement d'amour avait été spontané. Au lieu d'un mur, on a construit de toutes pièces un sentiment. Mais je doute que bien des gens aient été dupes de la manœuvre. Je connais même plus de gens qu'elle a écœurés. En fait, je crois que les seules retombées concrètes de cette marche, c'est *Chez Parée* qui en a profité; la boîte a dû faire des affaires d'or ce jour-là.

C'est d'ailleurs pour cette raison que le ton scandalisé que tout le monde prend pour réagir à chaque révélation dans ce dossier me paraît inapproprié. Se scandaliser de cette façon de faire, c'est supposer que le Canada peut inclure le Québec sans ça, et que c'est scandaleux que ces magouilles existent quand même.

Le scandale des commandites me fait plutôt pitié. C'est une tentative désespérée de faire tenir ensemble une patente politique qui ne peut pas tenir ensemble. Ce n'est pas à Martin, Gagliano, Guité, Chrétien et autres qu'il faut poser des questions. C'est à Stephen Harper, Jack Layton, à tous les premiers ministres provinciaux et de la Santé : vous êtes pas tannés de vous faire voler au nom de l'unité canadienne? C'est à tous les Canadiens qu'il faut renvoyer la question.

Le scandale actuel des commandites aura beau passer, il y a un mur à faire tomber au Canada. Celui de l'hypocrisie. Deux peuples qui ont deux langues officielles, deux histoires différentes et qu'on tente de faire passer pour un seul. Et je crois que les briques commencent à débouler…

Déchirements de la gauche

Un an après l'arrivée au pouvoir des libéraux conservateurs de Jean Charest, on allait lui faire sa fête. Sauf que, à Montréal en tout cas, les convives ont été moins nombreux qu'espérés et la manifestation s'est vite étiolée. Pourtant, il ne faisait pas si froid.

Est-ce donc que, finalement, le gouvernement Charest ne serait pas si pire que ça? Il y a bien eu quelques bons coups, comme des mesures pour les travailleurs autonomes et la possibilité pour des prestataires de l'aide sociale d'ajouter un revenu de travail sans être pénalisés. Il faut dire que si ces mesures répondent à de réels besoins, on peut tout de même se demander si, venant d'un gouvernement qui applique partout un dogme néolibéral, elles n'ont pas été lancées justement parce qu'elles nuisent à leurs ennemis préférés, les syndicats. Pour une fois que les mauvaises intentions peuvent servir, ne boudons pas.

Pour le reste, on peut dire aussi que certaines mesures ont été moins pires que prévu. Mais ça, c'est le truc des libéraux: on laisse entendre que ce sera la catastrophe, les coupures sauvages, et finalement, ce n'est pas si terrible. Il paraît que c'est un nouveau mode de gestion dans le privé. Quand on appelle et qu'on tombe sur le *hold* avec du beau Cité Rock-Matante en musique de fond, une voix suave nous annonce que le temps d'attente sera d'environ neuf minutes. On est prévenus, on s'installe avec sa tasse de thé, on commence le jeu des huit erreurs dans le journal. Puis, au bout de six minutes, alors même qu'on n'a trouvé que cinq erreurs, on nous répond. Alors on est tout contents, on vient de sauver trois minutes !

Sauf que voilà, si on nous avait annoncé un délai de cinq minutes et qu'on nous avait répondu au bout de six, ah ! là là, quel scandale ça aurait été !... C'est la gestion des attentes, dans tous les sens du mot. Les libéraux de Charest appliquent la même stratégie.

Mais ça n'a pas l'air de marcher fort fort puisque les sondages révèlent qu'une large majorité de la population est très déçue de la performance du gouvernement. Même 25 % des électeurs ayant voté pour le Parti libéral regrettent leur vote. Ça, c'est énorme. Alors pourquoi n'y a-t-il pas plus de bruit et de fureur ? Est-ce donc que le manifestant québécois moyen, après les méga-marches pour la paix, a la pancarte fatiguée et le soulier usé ? C'est possible, mais j'en doute.

C'est que, voyez-vous, à la manif, on pouvait comprendre que les syndicats ne voulaient pas tellement de cette manifestation. Ces derniers préféraient une mégamanif avec grosses grèves et tout pour le 1er mai, fête des Travailleurs. Alors, ils se sont un peu mobilisés mais pas trop. Pas que ce soit très grave comme décision, mais ça démontre bien à quel point la gauche est encore loin de pouvoir gagner quoi que ce soit. Alors que la droite a un agenda bien précis, à gauche, on s'*ostine* pour prouver qui est le plus pur. Et on a souvent l'air plus content de trouver des traîtres que des *leaders*.

J'en veux pour preuve un article paru la semaine dernière dans le *ICI*, sous la plume d'un chroniqueur masqué. Il y parlait du passage de Paul Piché à *Star Académie*. Déjà, ce choix paraissait fort discutable, je suis plutôt d'accord. Mais le comble, c'est que Paul Piché y a chanté avec des académiciens *Y'a pas grand chose dans le ciel à soir* en censurant la phrase « J'suis ben écœuré de me masturber. » Scandale. Un artiste qui est de toutes les causes accepte de changer son texte pour faire plaisir à l'Empire. Le reste de l'article était à l'avenant.

Ce qui m'a le plus étonné, c'est l'empressement que plusieurs dans mon entourage ont démontré à se dire complètement en accord avec ce texte et à tomber sur la *binne* à Piché. Paul Piché a tout de même démontré au fil des ans qu'il n'avait pas peur de se mouiller, qu'il est un artiste conscientisé, ce qui est déjà mieux que la plupart de nos *kids-kodak* sans foi ni loi autre que celle du marché. On peut remettre en question certains de ses choix, artistiques comme politiques, mais je n'arrivais pas à croire qu'il ait accepté d'émasculer sa chanson sans avoir pu vérifier auprès de lui ce qui s'était réellement passé. Ce que le chroniqueur masqué ne semblait pas avoir fait.

Eh bien, vérification faite, c'était une erreur ! Comme ils étaient plusieurs à chanter en se partageant les lignes, Piché s'est trompé de ligne. Je n'ai aucune difficulté à le croire ; même nous, au sein des *Zapartistes*, nous nous trompons encore parfois dans des chansons chantées des centaines de fois dans la même version. Et l'éclat de rire qu'il a eu quand je lui ai parlé de l'article me confirme que c'était bien là une tempête dans un verre d'eau vide.

Bon, il a tout de même accepté que son nom soit associé à *Star Académie*, mais il faudrait arrêter de jouer à la chasse aux sorcières. Certains me considéreront peut-être naïf, mais au-delà de la crédibilité de l'explication de Paul Piché, il y a une chose qui me marque. C'est le plaisir que tout le monde a semblé éprouver à le prendre en faute. L'espèce de « ah-aaaaah ! » collectif qui s'échappait de l'article, comme des réactions de ceux qui l'avait lu.

Il y en a, des traîtres à la cause, à toutes les causes, des anciens de Greenpeace devenus *lobbyistes* pour les OGM, des Claude Morin à deux faces, des Jean Lapierre opportunistes. Ce n'est pas ça qui manque. Mais si la gauche veut recréer une coalition et espérer, sinon prendre le pouvoir, au moins arriver à l'influencer, il va falloir sortir de cette logique de purges et de procès en pureté. Sinon, la gauche est loin d'avoir fini de se masturber… intellectuellement.

CNN s'interroge…

L'année dernière, en tant que réalisateur de topos à l'émission *Points Chauds* à Télé-Québec, j'avais rencontré un groupe d'Américains qui vivent à Montréal. La plupart étaient vivement opposés à la guerre en Irak. Mais ce n'est pas surprenant; pour se retrouver ainsi dans une ville de gauchistes remplie de descendants de Français, il faut faire partie de la frange la plus «*liberal*» des États-Unis. D'ailleurs, la preuve, c'est que tous ces anglophones de naissance savaient maintenant parler français.

Parmi eux, il y avait un vieux journaliste *freelance* qui avait fui la guerre du Viêtnam, et une femme qui avait suivi un homme qui lui aussi fuyait la conscription. Mais le témoignage qui m'avait le plus frappé, ce fut celui d'une jeune femme étudiante en sciences à l'Université McGill. Lorsqu'elle est arrivée à Montréal et qu'elle s'est mise à suivre les nouvelles canadiennes anglaises et québécoises, ce fut une révélation pour elle. Elle comprenait enfin ce qui se passait.

On ne parle pas ici d'une petite altermondialiste *énarvée* qui passe la moitié de son temps à fomenter des manifs ou à aller pendre des baudruches de George Bush. La neurochirurgie, ça occupe pas mal une fille. Et elle n'en revenait pas de nos nouvelles. Pour elle, enfin, les réactions étrangères à l'empressement du gouvernement Bush d'aller en découdre militairement «*faisaient du sens*». Tout s'éclairait même sur l'attitude du monde arabe face aux États-Unis. Elle m'a dit que c'était comme si elle venait d'ouvrir la télé pour la première fois.

Mais quand cette étudiante de bonne famille en parlait au téléphone avec ses parents américains, ceux-ci s'inquiétaient des fréquentations de leur fille et semblaient douter d'elle. À leurs yeux, elle s'était laissé imprégner d'une culture de mauviettes pacifistes. Elle était presque une traître. C'est là que cette jeune femme a compris que ses compatriotes étaient *brainwashés*, que les médias américains non seulement ne disaient pas toute la vérité, mais servaient en fait à conditionner l'électorat, le public américain, à servir les intérêts d'une petite clique de dominants.

Ainsi, pour comprendre ce qui se passe aux États-Unis, pour comprendre la réaction du public aux événements, il faut regarder CNN. Minimalement CNN, car on me dit que FOX News est encore pire. Depuis que le scandale éclabousse enfin publiquement l'administration Bush aux États-Unis, suite à la diffusion de ces photos où on voit des soldats américains humilier et, semble-t-il, torturer des prisonniers irakiens, je suis allé faire un tour pour voir comment CNN allait approcher l'affaire.

C'est effarant. Bien sûr, les photos ont fait le tour des médias. Personne ne minimise l'affaire. Mais c'est la *twist* qu'on a donnée à toute cette histoire qui est hallucinante. La grande question, c'est: comment de braves soldats américains normaux ont-ils pu en venir à avoir de tels comportements dégradants? *D'uh*, parce qu'ils sont dans l'armée, peut-être? Le Viêtnam n'y a rien fait, les Américains imaginent toujours leurs soldats comme de parfaits gentlemen. Pourtant, on leur apprend à tuer, à haïr l'ennemi, et même leur Rumsfeld de chef a, au départ, méprisé toutes les conventions de Genève!

Si ce n'était des photos, le public n'aurait jamais cru en cette histoire. J'ai même entendu, sur les ondes de CNN, qu'il était possible que ces photos aient été des mises en scène arrangées qu'on faisait voir à certains prisonniers irakiens afin de les intimider psychologiquement, mais que les sévices et abus n'avaient pas vraiment eu lieu.

Et on invite aux nouvelles un psychologue spécialisé qui a réalisé une étude prouvant les graves risques de dérapage quand un groupe a un pouvoir total sur un autre groupe, comme c'est le cas dans les prisons. CNN passe ainsi plein de temps à essayer de comprendre les errements des soldats américains. Si on avait appliqué la même grille d'analyse à Saddam Hussein, non seulement il serait encore en poste, mais on lui aurait peut-être même laissé prendre le Koweït…

Ode à l'inefficacité

Coupures, réingénierie, modernisation, rationalisation, convergence. On n'entend que ça, présentement. De la part de nos gouvernements, des entreprises privées, même des individus. Et derrière tout ça un culte, une valeur au-dessus de tout soupçon : l'efficacité. Il faut faire les choses efficacement. Minimiser l'effort pour maximiser le rendement. Éviter le gaspillage. Laisser tomber ce qui ne marche pas, ou même juste pas assez.

Alors on se demande si c'est efficace de mettre de l'argent dans Télé-Québec, dans des organismes environnementaux. Quand Péladeau sacre un animateur humoriste dehors parce qu'il s'est moqué de lui dans un sketch sur un autre réseau, l'empire prétexte l'efficacité de sa convergence et le doute est semé. C'est vrai, au fond, c'est plus efficace pour Quebecor de miser sur SES vedettes et de les rentabiliser à fond. On pourrait opposer des valeurs morales à ce culte de l'efficacité. Mais je crois que le pire, c'est que l'efficacité, ultimement, est inefficace.

Par exemple, la nature, dans son ensemble, marche très bien. Pourtant, pris séparément, beaucoup d'animaux sont inefficaces dans plusieurs de leurs activités. Or c'est justement ce qui fait que la nature marche bien dans son ensemble. Prenez les écureuils. Ils enterrent des noix pour faire des provisions pour l'hiver, mais ils ne se souviennent pas d'où ils ont mis chaque noix. Ils sont un peu comme des petits vieux qui cachent leur *cash* et qui, après, ne le retrouvant plus, croient s'être fait voler.

Sauf que voilà, une maudite chance qu'ils ne retrouvent pas toutes leurs noix. D'abord, si c'était le cas, on aurait affaire à des écureuils de cinquante livres, ce qui pourrait être problématique pour notre réseau de distribution d'électricité. Mais surtout, ces noix oubliées finissent parfois par germer, ce qui donne ultimement un arbre et ce qui contribue à régénérer la forêt, qui s'adonne justement à être le milieu de vie des écureuils! Il en va de même pour les singes qui bouffent des fruits, mais qui en échappent partout.

D'autre part, vous imaginez le bordel s'il fallait que tous les œufs de tortues de mer donnent des tortues matures? On s'*enfargerait* dans les tortues d'Ogunquit à la Patagonie, mes chers amis. J'ai même déjà lu une théorie sérieuse voulant que si les dinosaures avaient disparu, c'est en partie parce que ceux d'entre eux qui étaient des prédateurs étaient trop efficaces. Ils auraient trop bouffé de proies, ce qui aurait fragilisé l'équilibre. Lorsque le gros météorite est arrivé, ça a été le coup fatal. Or le culte de l'efficacité à tout crin nous mène vers le même destin.

Je crois qu'il faut réhabiliter l'inefficacité, l'approximation, voire même le *botchage*. Parce que l'efficacité, au fond, est un peu présomptueuse. Elle suppose que ceux qui l'appliquent savent ce qui est bon, que tout est sous contrôle. Or tant de choses nous échappent qu'un trop-plein d'efficacité quelque part entraîne toujours un déséquilibre ailleurs. Les maisons bien isolées coûtent moins cher à chauffer, mais elles ne respirent pas, et les gens qui les habitent développent au fil des ans toutes sortes d'allergies et de maladies, ce qui coûte cher à la collectivité. Des entreprises rentables sacrent du monde dehors pour le rester, ce qui fera qu'en bout de ligne il n'y aura plus personne pour rendre les entreprises rentables en achetant ce qu'elles ont à vendre.

Il y a bien sûr des limites à ne pas dépasser. Mais le reportage de cette semaine au *Point* sur la culture Wal-Mart montrait bien qu'il y en a aussi de l'autre côté. Le bonheur n'est pas dans le pré, il est dans l'inefficacité, la marge d'erreur, la fuite. Il est dans tous ces petits détours qu'on prend autour de la ligne droite, toutes ces petites pauses qu'on prend pour tomber dans la lune. Tout ce temps qu'on ne prend pas pour du *cash*, ces terrains vagues et ces espaces libres. C'est là que les papillons ont de la place pour battre des ailes et changer le monde.

Le reportage d'hier au *Point* sur le « *Burning Man* » en Arizona en témoignait fort bien : c'est carrément révolutionnaire que de faire des choses gratuitement, pour le plaisir. Il existe aussi une compétition annuelle d'inventions inutiles, je crois que c'est au Japon. Une année, le premier prix est allé à un économiseur d'énergie. C'était un petit boîtier contenant un moteur électrique alimentant un bras articulé. Il suffit de brancher la boîte et dès qu'on appuie sur *On*, le bras articulé se pose contre le mur, pousse et déplogue ainsi toute la patente qui s'éteint. Quelle merveille ! Vive l'inefficacité !

Détails de campagnes

D'abord, une petite anecdote d'actualité pour exprimer à quel point les détails ont leur importance. Cette semaine a eu lieu la dernière émission de *Capital-Action* animée par Claude Beauchamp. Le moins que je puisse dire, c'est que je n'ai jamais *tripé* sur cette émission affairiste qui faisait d'autant plus penser à une messe néolibérale que son animateur parlait comme un curé. Sauf qu'en tombant sur la fin de cette dernière émission, j'ai pu voir un des plus beaux lapsus médiatiques qu'il m'ait été donné de voir. Monsieur Beauchamp, après avoir remercié toute son équipe, a tenu à souligner l'apport des gens d'affaires, financiers et dirigeants d'entreprises. Il les a remerciés d'avoir collaboré à son émission malgré leurs HONORAIRES très chargés. Ça ne s'invente pas... Une petite syllabe de plus et, pendant une fraction de seconde, je me suis demandé si, finalement, ce monsieur Beauchamp n'était pas un gauchiste déguisé qui avait fait exprès pour pointer du doigt ces gens qui s'en mettent plein les poches en crossant tout le monde.

[...]

Il faut avouer cependant qu'il y en a aussi beaucoup de vieilles. Par exemple, pour Pierre Pettigrew, le slogan du Bloc, « Un parti propre au Québec », a des relents d'ethnocentrisme ! Eh oui, lui, il n'y voit aucune allusion à la corruption des libéraux. L'inénarrable Pierre Pettigrew disait en somme : « Cela est simplement une preuve de plus que les séparatistes veulent faire leurs petites affaires juste à eux, que leur projet est exclusif.»

S'il s'était vraiment laissé aller, ce valet précieux du Sommet des Amériques aurait sans doute ajouté que, sur les pancartes du Bloc, le bleu des yeux de Gilles Duceppe est tellement mis en valeur qu'on pourrait croire à une certaine idéologie aryenne de la race. N'importe quoi...

Pendant ce temps, les libéraux utilisent le même slogan que la Canada Steamship Lines de PasPaulMartin-ses fils, soit «Droit devant!» C'est un autre effet du scandale des commandites: à force d'être payées pour rien, les compagnies qui font affaire avec les libéraux en ont oublié comment travailler. Non mais, «Droit devant», c'est vraiment pas fort! Non seulement ça rappelle la compagnie de Paul Martin qui a tant bénéficié des paradis fiscaux, mais, en plus, n'importe quel *zouf* avec un crayon feutre pourra avoir le *flash* suivant: Droit devant, croche en arrière...

Et puis, semble-t-il que c'est la même agence qui a conçu l'immonde connerie qu'est la campagne du parti Bleue. Je suis sûr qu'elle vise à diviser le vote conser-vateur et bloquiste en semant la confusion. D'ailleurs, ce n'est pas la seule campagne politique «cachée» en ondes présentement. La campagne Pepsi qui clame qu'ici c'est Pepsi et qu'ici, on dit pas ici, on dit icitte, est clairement nationaliste. Mais les forces fédéralistes ont répliqué avec cette sournoise annonce de Reese, vous savez, celle où le beurre de *pinotte* décide de quitter son chocolat? Il y est dit qu'une fois seul, le beurre d'arachide ne s'attirait que des problèmes.

Vous êtes sûrs qu'il est fermé, le fond pour l'unité canadienne?...

Ça se précise...

À voir aller les intentions de vote dans cette élection fédérale, c'est à se demander si le Bloc n'aurait pas dû présenter des candidats ailleurs qu'au Québec. Avec des victoires extra territoriales dans des comtés en Acadie et à Saint-Boniface, genre, Gilles Duceppe aurait presque pu devenir premier ministre du Canada. Comme ça, on aurait arrêté de lui reprocher de ne pas pouvoir prendre le pouvoir, d'être confiné à l'opposition, pour ne pas dire au chiâlage.

Car c'est la principale critique que les autres partis, et surtout les libéraux, lancent aux bloquistes depuis le début de la campagne. En votant Bloc, les Québécois s'empêcheraient d'avoir des députés au pouvoir. Il y a là en sourdine un étrange aveu.

Une fois élu, le gouvernement est censé représenter tous les Canadiens et prendre les bonnes décisions pour le Canada dans son ensemble. En insistant sur le fait qu'il vaut mieux pour un comté que son député soit « du bon bord », on dit qu'il pourra ainsi mieux influencer certaines décisions et favoriser son comté. C'est donc avouer qu'un gouvernement Martin continuerait dans le patronage et les faveurs décernées aux amis du parti. Remarquez, on le savait déjà...

Et qui sait, comme les libéraux sont en train de planter comme un hélicoptère Sea King un soir de petite brise, cet argument pourrait bien se retourner contre eux bientôt. S'ils se faisaient laver comme les conservateurs de Kim

Campbell, le NPD et les conservateurs pourraient dire la même chose à la prochaine élection.

Faut dire qu'ils essaient n'importe quoi, les libéraux. Quand les libéraux ont annoncé la semaine dernière qu'ils allaient révéler un document-choc sur les liens entre le Bloc et les conservateurs, je m'étais dit que tout n'était pas joué. J'anticipais une fuite d'un document interne du Bloc détaillant l'entente entre le Bloc et le Parti conservateur pour le partage du pouvoir et bradant des concessions sur Kyoto, genre, pour avoir des points d'impôts.

Fallait voir la face de Jean Lapierre quand il a dévoilé le document-choc en question : un programme conservateur caché sous une couverture du Bloc. Un petit montage digne d'une *joke* d'étudiant. S'il ne pleut pas sur les sculpturales demoiselles qui accompagnent le cirque de la Formule 1 en fin de semaine, c'est le pétard mouillé de l'année.

Et, vengeance cosmique, après avoir fait les délices de tout le « *who's who* » de la politique au Québec avec ses célèbres soupers de homard, c'est donc enfin au tour de Jean Lapierre d'être dans l'eau chaude. Et quand Liza Frulla est allée lui prêter main-forte, le spectacle a été du plus haut comique. Avez-vous remarqué que cette madame a les mêmes *moves* de tête *phonys* que Michèle Richard ? Avec la mouette Lapierre à ses côtés, on aurait dit un Ti-Gus et Ti-Mousse involontaires. Liza a tenté de démoniser les conservateurs en disant qu'ils tenteraient d'imposer aux Canadiens leur vision du bien et du mal, leur morale. C'est sûr que, sur ce plan-là, les libéraux sont très rassurants : ils n'en ont pas, de morale…

Cette déconfiture est un spectacle passionnant. Hier, j'ai vu l'allocution de Paul Martin face aux maires des grandes villes canadiennes au canal CPAC. En bégayant, il a parlé de l'importance d'investir dans les infrastructures des villes pour que celles-ci, par la qualité de vie, puissent attirer des « recherchistes ». Claudette et ses amies ne le savaient pas, mais l'avenir du Canada passe par les recherchistes… Et quand il a annoncé hier une fin de course palpitante, il a fait trois arrêts aux puits dans la même phrase, pour finir avec une roue qui manque… Lâchez le Grand Prix et suivez la campagne, mesdames et messieurs. Parce que le gros char rouge qui gagnait tout le temps d'habitude est en train de se faire dépasser par tout le monde…

Éducatif

Il y a un sondage sur la Cyberpresse, aujourd'hui. On nous demande si l'argent du fédéral devrait servir uniquement en santé. Évidemment, on n'a qu'à penser à l'état des bibliothèques scolaires au Québec pour conclure que ce serait intéressant d'investir une partie de cette somme en éducation. Il y a des limites à pouvoir progresser intellectuellement en n'ayant pour toutes références qu'un atlas de 1974, un *Larousse* de 132 pages et *Martine à la ferme,* même si la pensée du ministre de l'Éducation Pierre Reid semble être basée sur ces trois ouvrages.

Kerry vs Bush

Il y a quelque chose d'absurde dans cette campagne électorale aux États-Unis. On regarde les débats et on reste perplexe. Ça me fait penser à cette chanson de Chris DeBurgh où Dieu et le Diable jouent au poker les âmes des humains. Le Diable triche et gagne, alors que Dieu ne fait que de son mieux… au grand désespoir du chanteur qui se voit bientôt perdre son âme et ne peut rien y faire.

Je résume grossièrement, mais l'argument de Kerry, c'est que Bush a pris une mauvaise décision en allant en Irak et que toute son administration a pris des tonnes de mauvaises décisions une fois l'armée américaine débarquée. Mais Bush n'a qu'à remettre le dossier de ses anciens votes à titre de sénateur dans la face du candidat Kerry pour montrer qu'il a d'abord appuyé la guerre, pour ensuite changer d'idée quand il s'est rendu compte que ça l'aiderait dans les sondages. Et, en temps de guerre, vaut mieux un *commander in chief* qui sache où il s'en va qu'une girouette. Le crime, ici, c'est de changer d'idée, même si c'est pour enfin avoir la bonne. Allez comprendre…

Le problème, c'est que les républicains, sous l'influence du mouvement sectaire pour un « New American Century », ont tellement imposé leur agenda aux démocrates ces dernières années, ont tellement fait accepter pour vraies des prémisses hautement discutables pour ne pas dire fallacieuses, que plus aucun démocrate ne peut maintenant dire la vérité sans avoir l'air d'un méchant *codingue*.

Bush n'a cessé de répeter que Saddam était non seulement un dictateur, mais aussi un fou, un malade dangereux, un *über*-terroriste qui, l'écume à la bouche, mettait en joue les États-Unis avec un arsenal d'armes de destruction massive tellement sophistiquées qu'on n'arrivait même pas à les trouver! Et personne n'a osé dire que c'était faux. Ç'aurait été trop antipatriotique. Des années avant l'élection, ne pas embarquer dans le Saddam-*bashing* était un risque que les démocrates n'ont pas voulu prendre.

Puis, on a établi le principe de frappes préventives. Les États-Unis n'ont à demander la permission à personne avant de frapper militairement où que ce soit sur la planète si la sécurité des Américains est en jeu. Là aussi, Kerry a été d'accord. Il l'a d'ailleurs réitéré récemment. C'est que les démocrates devaient se défaire d'une image de mauviettes. Alors, ils ont joué le jeu du *goon*. Et le piège était refermé.

Car maintenant que la brume patriotique obligée s'est un peu levée et qu'on sait que Bush a menti, qu'il a inventé un monstre pour justifier une intervention dont il avait besoin pour ses pétroliers de commanditaires et ses marchands d'armes, les démocrates ne peuvent pas le dire. Pas Kerry, en tout cas. Dans ces débats organisés par les deux grands partis pour écarter tout discours discordant, il aurait fallu un Ralph Nader pour péter la bulle de cet échange hallucinant. Le roi est nu et Kerry en est réduit à dire qu'il a mal choisi ses vêtements.

Je rêve encore de voir Kerry éclater et dire: «Je n'ai pas changé d'idée». J'ai juste finalement compris que nous avions été dupés. Et par vous, M. le président. Nous ne pouvions y croire, au début, et nous avons fait la seule chose patriotique à faire en vous appuyant. Mais maintenant, on se rend compte que vous avez menti. Sur les armes de destruction massive et sur les liens entre Saddam et le terrorisme. Vous avez envoyé des milliers de jeunes américains se faire tuer pour des mensonges. Et ça, c'est pire que n'importe quel *blow-job*.

Come on, John. C'est maintenant que tu dois prouver que tu n'es pas un *chicken*.

Deux versants d'Amérique

Depuis la réélection de Bush aux États-Unis, il semble qu'on n'ait jamais autant entendu parler du Canada chez nos voisins du Sud. Et notre rapport avec notre gigantesque voisin est également LE sujet de conversation dans les chaumières *canucks* et québécoises.

À lui seul, Doublevé Bush a fait plus pour l'image du Canada aux États-Unis que n'importe quelle campagne de tourisme. Il a beau faire baisser le dollar, de plus en plus d'Américains s'intéressent maintenant à leur grand voisin du Nord, alors qu'il n'y a pas si longtemps, la plupart auraient décrit le Canada comme une grande piste de motoneige peuplée d'Indiens, de joueurs de hockey édentés et de terroristes en cavale.

Aux yeux de la gauche américaine, le Canada apparaît comme le radeau de sauvetage d'une certaine idée de l'américanité. Ce serait le temps de capitaliser sur cette image de paradis de gentillesse non violente. Pour une fois, le Canada devrait être agressif avec sa non-agressivité. Je verrais bien une campagne pour promouvoir le Canada en ciblant les démocrates américains. « *Four more years… without Bush !* », signé : Canada, le pays où même les *rednecks* auraient voté Kerry.

À l'occasion de la visite de Bush au pays, CBC a organisé une espèce de « *Town Hall meeting* » frontalier à Windsor. On a pu y voir et y entendre des Canadiens et des Américains discuter des valeurs de leurs pays respectifs, certains pour les défendre, d'autres pour s'en désoler. Il y avait, par exemple, une famille d'Américains qui, suite à la réélection de Bush, a décidé d'immigrer au Canada, et le tout était fort intéressant.

L'émission a d'ailleurs été l'occasion de faire l'historique des flux migratoires entre les deux pays. Les loyalistes britanniques ne veulent rien savoir de l'indépendance américaine? Ils vont vivre au Canada et *God bless the Queen*. Les patriotes veulent l'indépendance chez eux, qu'ils s'exilent donc aux États-Unis! Il y a eu aussi les Acadiens déportés en Louisiane, les Noirs américains fuyant l'esclavage, les Canadiens français au chômage qui sont allés s'assimiler au Massachusetts, puis, les Draft Dodgers qui fuyaient la guerre au Viêtnam, les vedettes canadiennes qui veulent conquérir Hollywood et, dernièrement, les anti-Bush qui désespèrent du pays de l'oncle Sam et viennent s'établir chez nous.

J'ai cherché un vecteur commun à toutes ces transhumances. Je n'en vois qu'un seul. Si vous voulez faire quelque chose, allez aux États-Unis. Si vous ne voulez pas faire quelque chose, bienvenue au Canada. Que ce soit pour la révolution, l'indépendance, la guerre, le travail (forcé ou volontaire), une grosse carrière, n'importe quoi. Remarquez bien, ce n'est pas une dichotomie bien-mal. C'est une division action contre inertie. Les États-Unis, c'est l'Amérique volontariste et hyper-active, alors que le Canada, c'est l'Amérique qui se laisse aller. Au sud, un pays de *cokés* (comme son président l'a d'ailleurs déjà été) et au nord, un pays de *poteux*.

C'est dans ce contexte médiatique que le concours du plus grand Canadien s'est déroulé sur CBC. Au cours des étapes préliminaires de ce concours à la participation strictement *Canadian*, au Québec, on s'est largement gaussé des choix, à cause surtout de la présence dans le top 10 d'un certain Don Cherry. Il aurait suffi que Don Cherry gagne ce concours pour que le PQ puisse parler d'une première condition gagnante pour la souveraineté. Or, ça en décevra sûrement plusieurs mais, ce n'est pas Don Cherry qui a gagné, ni même Pierre-Elliott Trudeau. C'est Tommy Douglas, le socialiste de la Saskatchewan et père de l'assurance maladie, qui a été jugé le plus grand Canadien de tous les temps.

Puisqu'on ne peut pas vraiment attribuer cette victoire à l'attachement au personnage, c'est vers son héritage qu'il faut regarder pour l'expliquer. Aussi bien dire que le plus grand Canadien de tous les temps, c'est notre système de santé public. On aurait cherché le point qui distingue le plus les Canadiens des Américains, c'est ça qu'on aurait trouvé.

Ce que ça me dit, c'est que la comparaison entre les valeurs canadiennes et états-uniennes, poussée à l'extrême depuis la réélection de Bush, est en train, en douce, de faire naître une réelle identité canadienne qui ne soit enfin pas définie contre le Québec. C'est un changement subtil, mais ça pourra être très utile dans l'avenir. Et au Québec, on a beau vouloir faire l'indépendance, c'est quand même rassurant de voir qu'on n'a pas à le faire de l'intérieur des États-Unis…

Retour de voyage

La semaine dernière, j'étais en voyage et un peu en vacances, mais pas seulement, puisque j'ai été voir ce qui se passait au 4ème Forum social mondial à Porto Alegre, au Brésil. Je peux d'ailleurs prouver le fait que je n'ai pas simplement fait de la plage, puisque j'ai bronzé non pas en habitant mais en militant. Outre un visage et des bras un peu moins verts que d'habitude, la seule démarcation de bronzage que j'ai, c'est sur les pieds, où on voit la marque de mes sandales. Ça prouve que j'étais en sandales, soit, mais ça prouve aussi que je ne les ai pas enlevées souvent…

Le Forum social mondial est une sorte de Woodstock politique et social de la mouvance de gauche et altermondialiste qui veut faire le contrepoids à la rencontre de Davos. Pour le nombre, pas de problème, il y avait plus de 100 000 participants au Forum et au Camp international de la jeunesse. C'est beaucoup plus qu'à Davos, quoique si on compte les policiers et autres milices de sécurité qui ont dû patrouiller la ville suisse, ça doit se rapprocher.

Je dis Woodstock, mais ça ne rend pas justice à l'aspect sérieux de l'événement. Il y avait là des kilomètres de grandes tentes où se tenaient des ateliers. Et croyez-moi, pour passer plus de trois heures dans la chaleur humide à écouter des militants et des experts parler, par exemple, de l'aspect néocolonialiste de l'aide accordée par certains pays riches aux pays pauvres victimes de catastrophes naturelles, il faut vraiment vouloir changer le monde. Un participant finlandais a même félicité les organisateurs brésiliens pour avoir les meilleurs saunas hors de Finlande.

J'ai par ailleurs pu constater que les penchants naturels de la gauche au Québec sont en fait des traits universels chez tous ceux qui s'opposent à la droite néo-libérale. La division, d'abord, j'en ai parlé au téléphone la semaine dernière. Si la droite était aussi impatiente et pointilleuse avec ses *leaders* que les partisans de gauche le sont avec les leurs, même les paradis fiscaux finiraient par faire faillite.

Il y a aussi que la gauche semble souvent surestimer la nature humaine, à commencer par la sienne. Au beau milieu de milliers de militants pour lesquels la préservation de l'environnement est une valeur suprême, il fallait voir le nombre de bouteilles de plastique jetées par terre. Il y avait pourtant des poubelles dédiées au recyclage partout. Faut croire qu'elles étaient trop loin. Des fois, ça fait penser que si un autre monde est possible, ce n'est pas pour ici, et pas pour tout de suite.

Il y a aussi le goût de parler, parler et parler qui n'en finit plus. À ce point, ça dépasse la simple propension à s'écouter parler. Il y a quelque chose de désespéré dans cet effort d'aller au fond des choses, d'apporter telle précision, de souligner telle nuance. Surtout quand les gens autour de vous n'ont aucun pouvoir de plus que le vôtre.

Alors que tout le monde dans la tente suait à grosses gouttes depuis deux heures et demie, que la moitié de la salle devait prêter l'oreille aux chuchotements d'une traductrice exténuée, que la radio brésilienne *grichait* dans le système de haut-parleurs des panélistes, moi, je ne voulais que sortir de là prendre un peu de vent et une bonne bière fraîche. Or j'étais un vilain bourgeois soucieux de son confort parce qu'une fois arrivée la période de questions, IL Y AVAIT DES QUESTIONS! Plus qu'une! Et des longues, avec préambules et mises en contexte!

J'ai eu envie de prendre mon tour au micro et d'en poser une question. «Comment vous faites pour avoir encore des questions?» Moi, j'ai juste besoin d'un *break*. Remarquez qu'à voir dans le monde la montée des «*working poors*» qui travaillent comme des esclaves sans pour autant arriver à vivre dignement, il y a beaucoup de monde sur la planète qui a besoin d'un *break*. Peut-être que ça vaut la peine de suer un p'tit moment pour voir comment on pourrait le leur donner.

Laurel et Hardy contre le commissaire Gomery

C'est parfois dur d'être dans le domaine de l'humour politique. Il arrive fréquemment que nos cibles de prédilection, les politiciens, nous dépassent complètement. Il n'y a alors plus rien à rajouter, rien à déformer. La réalité est là, plus absurde et plus loufoque que ce qu'on aurait pu imaginer.

Jean Chrétien a fourni un de ces moments devant la Commission Gomery cette semaine. L'histoire des balles de golf, quel coup de génie! L'ovation que les membres du cabinet Martin lui ont accordée suite à sa performance n'est après tout pas si surprenante. Sa performance de clown qui fait diversion a été magistrale. Mais surtout, il faut noter ceci. Devant la Commission, Jean Chrétien n'a pas cherché à salir Paul Martin. Il n'a fait que défendre le programme des commandites et la raison d'État qui a mené à sa création. Il fallait sauver le Canada. Et, émus de retrouver le vieux lion donnant bravement ses derniers coups de griffes à la défense de son Canada chéri, personne ne l'a contredit.

Du coup, la Commission ne porte plus sur la légalité ou la moralité d'un programme de propagande et de *nation-building* fait avec notre argent. Elle porte sur les dérapages du programme, les détournements de fonds et autres petites passes. C'est surréaliste: il y a eu un cambriolage. La gardienne Sheila Fraser a pointé du doigt les bandits qui s'étaient enfuis en gros char chromé. On les arrête et tout ce qu'on leur reproche, c'est d'avoir fait un excès de vitesse.

Dans ce spectacle, on remarque surtout le brio de Chrétien, mais Paul Martin a très bien su tirer son épingle du jeu. Il a été calme, sûr de lui, et a tout fait pour démontrer qu'il ne savait rien. Il a eu de petites phrases subtilement *bitches* qui ont fait mouche. «J'étais tellement occupé à réduire le déficit que je n'avais pas le temps de me mêler de ça.» Comme si réduire le déficit était un effort physique constant, qu'il fallait peser dessus et lui donner des coups de pied! Mais l'impression que ça laissera sans doute, c'est que si Jean Chrétien est un attachant soldat de la cause du Canada, Paul Martin, lui, est un vrai chef raisonnable, moins flamboyant mais enfin un politicien crédible pour le XXIᵉ siècle. Bravo l'artiste mais, maintenant, soyons sérieux.

D'ailleurs, arrêtons de nous laisser obnubiler par l'animosité qui est censée régner entre Jean Chrétien et Paul Martin. Je n'en doute pas une seconde mais, ici, une fois la Commission lancée, la raison du Parti, sans doute un peu parce que les libéraux sont minoritaires, a clairement repris le dessus. Et constatons qu'avec leurs styles si différents, en fait, Chrétien et Martin se complètent à merveille.

Comme duo comique, ils sont Laurel et Hardy. Laurel le gêné pas sûr de lui qui bafouille, et Hardy la brute qui bouscule tout sur son passage. Politiquement aussi, ils se sont bien complétés. Chrétien a défendu la légitimité du programme et Martin a prouvé ensuite qu'il n'y a pas été impliqué. Si tout le programme en entier avait été jugé (comme il se doit) illégitime, Martin aurait pu être accusé de l'avoir laissé s'installer sans rien dire. Mais si tout ce qui a cloché, c'est la gestion du programme, Martin peut s'en tirer. Ne reste donc qu'à chercher les petits bandits intermédiaires qui ont profité du système. Pouf! Ce n'est plus une crise politique, c'est un fait divers.

[...]

Il fallait sauver le Canada!

J'ai cru un moment que le scandale des commandites serait un pet mouillé dans notre histoire. Le genre que tout le monde sent, mais dont on ne peut accuser personne. Eh bien, j'avais mal vu parce que là, en plus de sentir mauvais, ça commence à faire du bruit! On commence aussi à identifier plus clairement les émetteurs, mais je laisse le soin aux auditeurs de deviner de quel vocable j'aurais pu les affubler pour compléter ma flatulente métaphore.

Mais je m'étonne toujours qu'on évite aussi soigneusement le cœur de l'affaire. Au Québec, comme les médias ont conservé la neutre habitude de souligner autant la paille dans l'œil des péquistes que le baobab dans l'œil des libéraux, on entend les gens réagir en condamnant toute la classe politique. Au Canada anglais, les conservateurs dénoncent les mœurs politiques des libéraux et tous condamnent les Québécois en général. Mais soyons précis: le scandale des commandites est le fait des fédéralistes québécois. Depuis des décennies qu'ils posent en sauveurs du Canada, ce sont eux qui sont en train, moralement, de le perdre.

On a encore une fois entendu en chambre, à Ottawa, cette accusation sans appel pour discréditer le Bloc: «Vous voulez détruire le Canada!» Comme si les indépendantistes se réunissaient dans des bases secrètes enfouies sous des kilomètres de granit (en souvenir de la baie James), dans des salons enfumés (en souvenir de René Lévesque), autour de cognacs géants (en souvenir de Jacques Parizeau) pour *brainstormer* sur comment détruire un pays de gentils, en se frottant les mains à chaque bonne idée. Décidément, les films de James Bond ont une emprise considérable sur l'imaginaire politique canadien.

Mais en quoi l'indépendance du Québec entraînerait la destruction du Canada? Le Québec serait le seul rempart contre une invasion américaine? La légitimité du Canada ne tiendrait qu'au bilinguisme? La devise officielle *D'un océan à l'autre* est si sacrée que, au seul fait d'intercaler une interruption dans le trajet, le Canada se pulvériserait en une dizaine de républiques? C'est tout de même bizarre que ceux qui vantent tant les vertus du Canada aient aussi peu confiance en sa solidité.

On pourrait au contraire soutenir que les indépendantistes proposent de construire le vrai Canada, une fois pour toutes. Dans le chambranlant *deal* politique actuel, il y a d'un côté des Canadiens, majoritairement anglophones, fiers avec raison de leur pays, soucieux d'en conserver l'unité mais, surtout, que leur gouvernement soit digne de confiance, démocratique et propre.

De l'autre côté, il y a des Québécois, majoritairement francophones, fiers avec raison de leur différence, soucieux de l'affirmer à la face du monde et que ce pays à eux soit lui aussi démocratique et propre. Mais entre les deux, il y a les fédéralistes québécois. Ce sont eux qui, à coups de menaces à peine voilées, de cadeaux en tous genres et de chantage émotif d'un côté comme de l'autre, parasitent deux peuples à la fois. Ils y trouvent un bénéfice éternel, une quasi-exclusivité sur le siège de premier ministre et une très lucrative chasse gardée dans l'industrie de l'unité, détournant les aspirations des Canadiens pour mieux étouffer celles des Québécois et en tirer leur rente à vie.

Quand Jean Lapierre dit que toute la classe politique est éclaboussée par le scandale des commandites et qu'il tente de *swigner* un peu de la substance malodorante dans laquelle il baigne en direction des méchants séparatistes, il essaie de faire diversion. Bernard Landry a très bien réagi là-dessus. Les Canadiens du ROC doivent enfin réaliser que ceux qui leur rient dans la face depuis des années, ce ne sont pas les séparatistes. Ce sont les fédéralistes québécois. Et il serait temps pour eux d'enfin se libérer de leur emprise. Vive le Canada libre !

My way, comme d'habitude

Il y a un film français qui vient de prendre l'affiche, *Podium*, qui raconte la vie d'un imitateur de Claude François. Je n'ai pas encore vu le film, mais ça m'a remis en tête le plus célèbre hit du chanteur : *Comme d'habitude*. Cette chanson, dont la musique a par la suite été reprise par Paul Anka pour donner l'encore plus célèbre version anglaise *My way*, chantée par les plus grands interprètes, de Frank Sinatra à Elvis Presley en passant par Sid Vicious, est une des plus grandes chansons de tous les temps. Et son histoire est éloquente.

C'est un chagrin d'amour qui a inspiré Claude François alors qu'il venait de se séparer de son amoureuse France Gall. Il finit par accoucher de la chanson avec l'aide un ami compositeur, Jacques Revaux. Tout le côté grandiose de l'envolée, la montée des violons, tout dans cette version vient souligner la tristesse, la nostalgie et l'impuissance. Or, pour la même mélodie, la version américaine est aux antipodes de ces émotions. C'est l'histoire d'une homme fier de lui, fier de sa vie, qui a accompli des tas de choses mais qui, surtout, l'a fait «À sa manière», *My way*. En langage psycho-pop, on dirait que c'est une chanson *d'empowerment*.

À la lumière des différents conflits qui ont vu l'Europe en général et la France en particulier s'opposer aux États-Unis ces dernières années, la symbolique devient très révélatrice. Là où les États-Unis foncent et font leur chemin, la France (et toute l'Europe) déplore, s'inquiète et se chagrine.

Prenez l'Irak. Tout le monde sait que les armes de destruction massive et la volonté de détrôner un tyran n'étaient que des prétextes. Cependant, on reconnaît maintenant qu'il est possible que cette intervention intéressée puisse finalement avoir plus d'effets bénéfiques que d'effets néfastes. Rien n'est joué, tout peut encore basculer dans la haine et le chaos. Mais ce qui ressort, c'est que s'il n'y avait pas eu les États-Unis pour chercher à faire les choses «À leur manière», la France n'avait rien à proposer, rien d'autre que de continuer «Comme d'habitude».

Personne n'est pur là-dedans. Les USA tentent de s'immiscer partout et disent au monde entier: il faut que ça marche *My way*. Mais la France continue d'entretenir des liens coloniaux avec les pays d'Afrique francophone «Comme d'habitude». Et à voir la division de l'Europe et son incapacité à faire contre-poids au géant américain, ce sera «My way, comme d'habitude» pour encore quelques couplets. Jusqu'à ce qu'un Chinois fasse sa version de la chanson, j'imagine, et qu'elle soit écrite du point de vue d'un enfant qui envisage son avenir…

En cet estuaire de pays où nous vivons entre le courant de l'Amérique et les marées de la France, je me suis senti récemment très proche de la version «Claude François». C'est quand j'ai vu à la télé nos anciens Expos, devenus les Nationals de Washington. Chaque année depuis que je fais des chroniques, je vous ai parlé de baseball. J'y ai aussi souvent trouvé des métaphores pour parler d'autre chose.

Mais voilà, ce puits de petites joies et d'entraînement à l'espoir est désormais tari. Nous avons baissé les bras. De petits profiteurs bien de chez nous en ont profité pour s'enrichir. De prétendus sauveurs venus d'ailleurs ont fait la même chose. Et l'équipe pleine de trous que nous avions a été enrichie au déménagement de quelques éléments-clés qui lui manquaient. La saison a beau être jeune, les Nationals sont présentement en tête de la section Est de la Ligue nationale. Rappelez-vous les Nordiques, partis de Québec pour gagner la Coupe Stanley l'année suivante sous le ciel du Colorado. Comme d'habitude…

Sur un autre sujet, depuis l'agonie archi-médiatisée du Pape, à la vue des innombrables reportages sur son pontificat, à entendre et à lire le ton obséquieux qui a soudainement pris les trois-quart de toute la place dans nos médias, en voyant la ferveur des Polonais venus saluer leur champion et en imaginant le *Pape-Académie* qu'on va devoir se taper pendant les prochaines semaines, j'ai eu un petit élan mystique. Je me suis surpris à prier : Mon Dieu, faites que le prochain pape soit tout sauf Québécois. Parce que je suis en train de faire une *papite* aiguë…

Et tant qu'à y être, j'aimerais bien un Pape un peu plus *My way* que « Comme d'habitude ».

Du droit de déranger

Plus que le retour des outardes, l'apparition des bourgeons ou le début de cette abyssale période de mièvreries télévisuelles où un sujet de chroniques sur deux parle de barbecue et qu'on appelle la programmation d'été, l'apparition des *weirdos* annonce immanquablement l'arrivée du beau temps.

Le *weirdo* est un personnage coloré qui habite la rue et agit de façon à se faire remarquer. Il peut s'agir d'un original, d'un artiste de rue ou, plus tristement, d'un sans-abri ou d'un désinstitutionnalisé. Mais voilà, la saison s'annonce plus dure pour les *weirdos* cette année. D'abord, pour les *weirdos* involontaires, il semble que la police ait décidé depuis quelques années de serrer la vis, de multiplier les arrestations et les amendes pour tous ceux qui traînent, quêtent ou prennent leurs aises où il ne faudrait pas. Et puis, pour les musiciens et autres artistes de rue, la ville vient d'augmenter considérablement le coût des permis, de restreindre les endroits où il sera permis de donner son show spontané en plein air et d'augmenter les contrôles et les obstacles en tout genre. Cette attitude est malheureusement tout à fait dans l'air du temps.

De plus en plus de gens semblent avoir comme valeur suprême dans leur qualité de vie le fait de ne pas être dérangés. Jamais. Nulle part. Pas par un *weirdo*, pas par un joueur de cuillères, pas par un enfant qui braille, pas par un voisin qui pue. On ne veut pas être dérangé intellectuellement, musicalement, journalistiquement, visuellement. Je crois d'ailleurs que c'est le plus grand obstacle au développement du transport en commun. Les gens ont beau être *jammés* dans leur char, au moins, ils sont dans leur bulle. Ils écoutent la musique qu'ils veulent, ils mettent le sapin sent-bon qu'ils veulent et ils parlent au cellulaire à qui ils veulent. Personne ne les dérange. Et au fond, la loi antitabac qui se trame tient de la même obsession.

Phénomène occidental, il semble que ce besoin de n'être jamais dérangé soit encore plus profond chez nous. Prenons seulement les médias québécois. Depuis quelques années, les dérangeurs y ont la vie dure. Je les mets tous dans le même paquet, ceux qui me plaisent comme ceux qui m'énervent, ceux qui ont clairement dépassé les bornes comme ceux qui ont été victimes de la rectitude politique ou de la censure. Howard Stern n'est plus diffusé à Montréal. Normand Lester a perdu sa *job* à Radio-Canada. Conan O'Brian a dû excuser son chien insulteur pour les propos qu'il a tenus sur les Québécois lors de son passage à Toronto. Jeff Fillion n'est plus en ondes. Benoît Dutrizac ne sera plus des *Francs-tireurs*. Et si ce n'était que du Québec, il y a longtemps que Don Cherry aurait dû accrocher son veston carreauté. Tout ça ressemble à une tendance lourde…

Or je suis persuadé que l'humain a besoin d'une dose raisonnable de dérangements pour évoluer, pour que la société continue d'être humaine. Je réfléchissais à ça depuis un bout quand j'ai vu à PBS un documentaire sur le parc de Yellowstone. On s'y questionnait sur deux désolants phénomènes naturels : la disparition des trembles et l'érosion des berges de la rivière Lamar. En mesurant l'âge des quelques vieux trembles qui restaient, des chercheurs ont découvert que les plus jeunes avaient commencé à pousser exactement l'année où on avait tué le dernier loup du parc. Après, plus aucun n'a pu survivre. Du temps des loups, les chevreuils devaient se surveiller. Ils ne pouvaient rester trop longtemps à la même place. Les loups les dérangeaient. Ce qui donnait la chance à quelques pousses de trembles de survivre. Depuis qu'il n'y a plus de loups, les cervidés mangent toutes les pousses et ravagent sans crainte la végétation du bord de la rivière. Les castors ont quitté le chantier, faute de matériau. Les étangs des castors n'y étant plus, des dizaines d'espèces d'insectes et d'oiseaux ont aussi déserté le parc. La terre s'est mise à être emportée par le courant, et l'eau de la rivière est devenue brune. Des espèces de poissons n'ont plus jamais été vues dans la rivière. Parce qu'ils n'y sont plus, mais aussi parce que, de toute façon, on ne peut plus rien y voir… Tout ça parce qu'il n'y a plus de loups.

Je me dis que les dérangeurs urbains et culturels doivent quelque part jouer le même rôle. Sans amuseurs de rue, les festivals commandités prennent toute la place et continuent de permettre à nos cerveaux d'être encore plus envahis par les algues brunâtres de la logique marchande. Sans fou qui engueule un lampadaire, la moindre originalité devient suspecte. Sans Don Quichotte du micro, l'insignifiance gentille se répand et nous rend incapables de tout débat le moindrement viril.

Alors la prochaine fois que vous serez dérangés, au lieu de lancer une poursuite, d'exiger un règlement municipal ou d'écrire à l'ombudsman, dites merci. Ça contribue sûrement à faire pousser quelque chose d'utile.

Nono

[…]

Un ami m'a raconté qu'à une taverne que fréquentait son père se tenait un simple d'esprit que tout le monde appelait Nono. Les gars de la place s'amusaient à lui faire passer un test. Ils mettaient un dix cennes et un cinq cennes sur la table et lui demandaient de choisir. Nono prenait toujours le cinq cennes. Tous croyaient que c'est par la taille de la pièce que Nono se laissait impressionner. Jusqu'au jour où le père de mon *chum*, dans un élan pédagogique, lui refit le truc pour ensuite lui demander : « Nono, pourquoi tu prends le cinq cennes ? Le dix cennes vaut plus. » Et là, Nono a répondu : « Parce que si je prends le dix cennes, tu me le feras plus, le truc… »

Tiens, celle-là, je la dédie à tous ceux qui ont pris des tonnes de dix cennes dans le scandale des commandites. En espérant qu'on ne leur refera plus le truc…

Bon été

[…]

De son côté, Charest a clairement besoin d'un *break*. En fait, il a peut-être même besoin d'une retraite, à voir à quel point il a pété sa *fuse* quand Elsie Lefebvre a écorché sa Michou. Le mot « chienne » qu'il a alors laissé échapper était vulgaire et très dur mais, étrangement, pour une fois, il m'est apparu un iota moins antipathique que d'habitude. De le voir ainsi défendre sa femme bec et ongles en touchera sûrement plus d'une. Et ça faisait du bien de le voir être touché par quelque chose, depuis le temps qu'il laisse tout passer en ayant l'air de s'en moquer. Remarquez, il s'agissait à ses yeux d'une intrusion malveillante dans sa vie privée, et Jean Charest défendra toujours bec et ongles tout ce qui est privé…

Il y aura aussi la course à la *chefferie* au PQ, qui promet d'être palpitante. Pour trouver autant de monde prêt à tout pour se trouver chargé de la croix du leadership péquiste et subir injures et coups de fouets, il faut se rendre aux Philippines le Vendredi saint. Jusqu'à présent, à part l'étonnante et courageuse candidature de Louis Bernard, il y a peu de surprises. Je me permettrai ici de faire une liste de candidats potentiellement intéressants, juste pour le *fun*. Ce sera le jeu de l'été : qui verriez-vous ? Et c'est plus rigolo si on s'écarte des choix logiques qui gravitent autour du PQ et du Bloc. Mais il faut chercher sérieusement, pas lancer des absurdités comme le barbu des Denis Drolet, Mado Lamotte ou Guy Bertrand.

J'ai déjà dit que je pensais que Jean-Luc Mongrain ferait un excellent promoteur de l'indépendance s'il voulait s'y mettre. Et puis, pour les humoristes et les imitateurs, ce serait du bonbon. Juste pour le voir faire face à son ancien collègue Jean Lapierre, ça vaudrait la peine…

Pour rester dans les candidats médiatiques, pourquoi pas Michaëlle Jean? Ça n'est pas parce que c'est une femme ou un vote ethnique ou les deux. C'est juste que, comme ça, on la verrait souvent. Et puis là, ils seraient mal pris, ceux qui aiment bien accuser le mouvement indépendantiste d'être raciste.

[…]

27 août 2005

L'été qui s'achève...

Avant de reprendre le fil de l'actualité, il est bon de récapituler un peu ce qui s'est passé cet été parce que, des fois, on ne porte pas toujours attention. Au début des vacances, quelques militants voulant redonner l'accès au fleuve aux citoyens, et qui proposent que plusieurs plages soient ouvertes sur l'Île de Montréal, ont plongé dans l'eau au bout du quai dans le Vieux-Port pour montrer que le fleuve était bel et bien baignable. Quelques mois plus tard, des marins turcs sont venus apporter leur appui au projet.

Il y a eu Karla Homolka qui est sortie de prison. C'était la grosse manchette. Les journaux en faisaient leur une, les bulletins de nouvelles commençaient par ça. Pourtant, un sondage démontrait qu'une majorité de Québécois et même de gens de la ville de Longeuil se foutaient complètement de ce qui pouvait arriver à Karla Homolka. Alors, soit ceux qui décident de ce qui va se passer aux nouvelles sont des obsédés sensationnalistes, soit les gens qui répondent aux sondages sont des menteurs. Remarquez, l'un n'empêche pas l'autre.

Il y a eu des morts aussi, comme tous les étés. Plein de morts en voiture, en vélo, en *sea-doo*, en avion, et même des gens qui étaient tranquillement dans leur appartement à Paris. Et puis, il y a les victimes du terrorisme à Londres et en Irak. D'ailleurs, ce serait intéressant de faire le décompte. Combien le terrorisme fait de morts et combien sont causés par la pingrerie de bons capitalistes occidentaux qui ne font pas entretenir leurs avions et qui laissent des immeubles devenir des niques à feu surpeuplés? Idée de *sketch*: un terroriste tente de détourner un avion, mais le pilote lui annonce qu'*anyway*, il va s'écraser.

D'ailleurs, afin de prévenir ces attentats, Jean Lapierre veut installer des caméras partout. En même temps, les jeunes libéraux proposent que le « *string* qui dépasse du jeans à taille basse » soit proscrit dans nos écoles. Jean Lapierre sera sans doute déçu. Quoique, si on interdit le *string* qui dépasse, j'ai l'impression que la solution que choisiront nos jeunes filles gavées de vidéoclips salaces, c'est qu'elles finiront simplement par ne plus porter de petite culotte du tout.

Avez-vous remarqué, d'ailleurs, à quel point le tissu est devenu un sujet chaud et hautement politique? On se bat pour que des femmes au Moyen-Orient puissent enlever leur voile, et on débat pour que les jeunes occidentales aient un peu de décence dans leur habillement. Décidément, le droit de faire bander est à la femme ce que la liberté d'entreprise est à l'économie. Quand il n'y en a pas assez, c'est le marasme, et quand il y en a trop, c'est le bordel.

Parlant de séduction féminine, je ne pouvais pas ne pas parler de Michaëlle Jean. Je rappellerai à tous que, lors de ma dernière chronique avant les vacances, j'ai parlé de Michaëlle. Je la suggérais pour succéder à Bernard Landry, en disant que ça serait agréable de la voir plus souvent et que ceux qui aiment bien accuser le mouvement indépendantiste d'être raciste seraient enfin mal pris. Est-ce que Paul Martin est encore à l'écoute, ce matin? Beau coup, mon Paul. Mais moi, j'avoue, la nouvelle m'a désolé. C'est éminemment une bonne femme pour le poste. J'espérais seulement que ce n'était pas un poste pour la femme.

Des souverainistes ont fait parler d'eux en révélant les prétendues amitiés séparatistes et même felquistes du nouveau couple vice-royal, dans le but de couper court à ce coup de marketing de Paul Martin en faisant rejeter son choix par le Canada anglais. Sauf que la balloune leur pète dans la face puisque la belle rétorque qu'elle n'a jamais été de leur bord. Et dans les médias, on les a rapidement rabroués en prenant bien soin de les désigner comme étant des purs et durs et en allant jusqu'à déraper dans les accusations de racisme. Wow !

Dieu sait que je suis loin d'être un pur, et pour ce qui est d'être dur, ça dépend avec qui. Sauf que si tout le monde chez les souverainistes croyait Michaëlle Jean de leur bord, c'est qu'il doit y avoir quelque chose. Pardonnez-moi si je fais du lèse-majesté, mais la nouvelle gouverneure générale a été une agace politique. Et à voir la force de la réaction, en voyant que Michaëlle a choisi le puissant fédéral, c'est simplement que les souverainistes sont en peine d'amour. Alors, s'il vous plaît, un peu de compassion… Et puis, chers purs et durs, n'allez pas brûler toutes vos chances. Dans quelques années, son mandat sera fini. Peut-être pourrait-elle revenir à son ancien *flirt*…

Youppi!

[...]

Certaines nouvelles anodines sont cependant trop sympathiques pour qu'on les taise. L'embauche de Youppi par le Canadien fait sans contredit partie de celles-là. Et surtout, c'est une première importante : une mascotte peut changer d'équipe. Espérons que Michaëlle Jean a bien noté…

Pour un Québec docile

Le lancement du manifeste *Pour un Québec lucide*, qui aurait dû s'appeler *Pour un Québec docile*, cette semaine, m'a pompé comme il y avait longtemps que je n'avais été pompé. Il y a tellement de choses qui me choquent et m'insultent dans ce torchon paternaliste que je vais devoir faire d'énormes efforts pour être drôle. Il le faut, après tout, puisque je devrai sans doute bientôt affronter la compétition d'humoristes indiens ou chinois. Ah! non, c'est vrai, il y a l'exception culturelle!... mais pour combien de temps?

Selon vous, il faudra faire des sacrifices pour faire face à la mondialisation. C'est vous, pourtant, les mêmes férus d'économie et de responsabilité, qui nous vantiez la libéralisation du commerce il y a quinze ou vingt ans. Ça allait créer plein d'emplois, ça allait moderniser notre économie, le Québec allait devenir un exportateur formidable... À cette époque, votre prestige et l'air du temps médiatique ont joué et on vous a crus.

Mais là, la réalité saute aux yeux. Les Chinois acceptent, pour produire des vêtements tout à fait consommables, des salaires annuels qui, ici, représentent ce qu'on peut quêter sur la rue un jour de pluie quand le monde est de mauvaise humeur. Alors, bien sûr, ça tire les salaires de chez nous à la baisse. Dans une perspective humaniste, peut-être que, dans cent cinquante ans, le libre-échange aura égalisé les chances entre les économies du monde et les conditions de vie à travers le monde. Mais en attendant, c'est toujours les mêmes qui prennent leur cote au passage.

Pour réagir, il faudrait occuper des «marchés de niche» et se lancer dans des produits d'excellence que les Chinois ne peuvent pas produire. Pas encore, mais ils y viendront sûrement. Alors, au lieu de proposer qu'on balise ce libre-échange qui met à mal toutes les économies occidentales, vous proposez qu'on avance encore plus vite dans cette voie qui, à coups de bateaux polluants, envoie la production des exploités vers les marchés des fourrés. C'est ce que vous appelez de la lucidité? Faudra-t-il qu'Olymel délocalise ses usines à poulet en pleine zone de grippe aviaire pour que vous trouviez que ça n'a plus de bon sens? S'il y a quelqu'un qui mérite qu'on l'envoie à la niche, c'est bien vous.

Il y a la dénatalité, aussi, et son corollaire, le vieillissement de la population. Ils sont consacrés dans le manifeste comme une fatalité inévitable, un fait irréversible. Un fait qui devrait nous forcer à couper dans les programmes sociaux, le système de santé public et la gratuité scolaire, et assouplir le travail.

Que pensez-vous qui soit le plus grand déclencheur de fertilité chez les femmes au Québec? Le ginseng? Les statuettes New Age? La vue de Roy Dupuis sur un grand écran? L'ecstasy? Non, c'est la permanence au travail. Dès qu'une femme décroche une permanence quelque part, en couple ou même célibataire, dans bien des cas, pouf, elle tombe enceinte. Il suffit souvent d'un peu de sécurité pour oublier un moment sa dette étudiante et avoir envie d'avenir. Et vous, c'est quoi votre solution? Ah! oui, des frais dégelés et moins de permanence, plus de souplesse au travail! C'est ce que vous appelez de la responsabilité?

Ils disent vouloir ouvrir la discussion. Très bien, là-dessus, on les prendra au mot, messieurs dames. Faisons preuve d'inventivité et de créativité. Par exemple, d'accord pour un dégel des frais de scolarité mais RÉTROACTIF et SÉQUENTIEL. Les jeunes ne commenceront à payer leurs études que quand tous les boomers auront fini de payer les leurs. D'accord pour des baisses salariales dans les entreprises si on commence par baliser le salaire des cadres et des actionnaires. D'accord pour baisser les impôts et monter les taxes si on taxe aussi, et davantage, les actions d'entreprises. D'ailleurs, il y a plus d'économies à faire là. Ça, ce serait ce que j'appelle de la liberté.

Et puis, les marchés de niche, ce n'est peut-être pas si bête. Ce qu'il faut, c'est un produit qu'on pourrait exporter vers ces puissances montantes qui sont aussi de gigantesques marchés, la Chine et l'Inde. Des trucs qu'ils n'auraient pas chez eux, dans lesquels ils n'auraient aucune expérience. Pourquoi pas exporter nos syndicats? De toute façon, à vous entendre, on n'en aurait plus besoin chez nous... Comme ça, on évitera peut-être d'être une république du XXe siècle, comme vous dites qu'on est devenus, mais aussi du XIXe, comme vous semblez le souhaiter.

5 novembre 2005

J'ai *pogné* un écureuil!

Les écureuils m'*énarvent*. Ce sont des rats avec des bacs en marketing. Si ce n'était de leurs belles queues touffues qu'ils agitent avec tant de grâce, ils auraient sûrement été éradiqués depuis longtemps de nos villes. Et je ne sais pas ce qu'il en est dans votre coin, vous, mais par chez nous, ils sont de plus en plus d'un sans-gêne incroyable. Cet été, il y en a un qui est rentré chez moi pour piquer de la bouffe à ma grosse Mimine qui le regardait faire en pouishant, sachant qu'elle n'avait aucune chance de *pogner* ce rongeur aux réflexes si vifs.

Il a suffi que j'arrive dans la cuisine pour qu'il détale, bien sûr. Mais encore là, il n'est pas parti très loin. Il est revenu. Il a fallu que je ferme la porte pour m'assurer de ne pas être envahi par les écureuils. Si Hitchcock avait été Québécois, ils n'aurait pas fait *The Birds*. Il aurait fait *Les écureuils*.

Ce qui m'*énarve* le plus, c'est leur impunité. Les écureuils semblent n'avoir aucun prédateur naturel. Les seuls animaux qui peuvent leur donner du fil à retordre, ce sont d'autres écureuils. Sinon, ils nous narguent en funambulant sur les fils électriques et en jouant au poteau de barbier sur l'écorce des arbres. Ils font japper les chiens et rager les électriciens. On ne se rend pas compte de tous leurs méfaits tant ils font partie du paysage. Ils volent les bulbes des jardins. Ils piquent les graines des oiseaux. Dans les érablières, ils grugent la tubulure et volent les chalumeaux. Il paraît même qu'ils sont responsables de plusieurs incendies.

La seule utilité de l'écureuil, c'est sa mauvaise mémoire. Il cache des graines pour se nourrir et il en oublie, ce qui régénère la forêt. Parlez-moi d'un privilégié. Il en a assez pour pouvoir en oublier! Mais en ville, je doute que les propriétés de régénération forestière de ces bestioles soient mises à grande contribution.

Certains, séduits malgré tout par l'animal, tenteront de l'apprivoiser. Mais vous aurez beau le nourrir généreusement et même réussir à lui faire faire quelques trucs, à tout moment, un écureuil peut vous mordre. Si ça se trouve, d'ailleurs, les écureuils qui fréquentent les mangeoires d'oiseau et se querellent souvent avec les volatiles pourraient même être des vecteurs de la grippe aviaire.

Mais impossible de les attraper. Ils sont tellement rapides, tellement agiles et connaissent tellement le terrain que si vous tentez le moindre geste pour les déranger un peu, c'est vous qui vous tournerez en ridicule. Mais pas hier. Hier, j'ai vécu un grand moment. J'ai pogné un écureuil.

Je marchais sur ma rue quand, soudain, j'ai aperçu, au ras du sol, près d'une clôture, ce qui m'a semblé être un écureuil écrasé. Ça me surprenait, car je n'avais jamais vu d'écureuil écrasé. Des chiens, des chats, des mouffettes, des siffleux, des ratons-laveurs, même des renards, mais un écureuil, jamais. C'est même à se demander s'ils ne sont pas éternels.

Je ne voyais que ses pattes de derrière et sa queue, immobiles, plaquées au sol. Mais il n'était pas mort. Il avait la tête et le haut du corps profondément enfouis dans un sac de chips qui traînait. Je me suis approché doucement. Dans le sac, la tête bougeait… L'écureuil se gavait de chips.

Tout à sa gourmandise, il ne m'a ni vu ni entendu venir, le froissement du sac étant sans doute beaucoup plus présent à ses oreilles que mes pas sur le trottoir. Il était là, à ma merci. J'ai juste mis le pied sur le sac. Il a figé. J'ai brassé doucement le sac avec mon pied. Il a continué à faire le mort. J'aurais pu carrément sauter dessus, le prendre avec mes mains et le *pitcher,* mais je ne suis pas sadique, les écureuils ont beau m'énerver, juste de le voir ainsi paralysé la tête dans le sac représentait une vengeance bien suffisante.

J'ai retiré mon pied. Il est sorti, tout ébouriffé mais intact, et s'est enfui sous une galerie. Mais il n'avait pas cet air fendant qu'ont toujours les écureuils. Il venait de se faire *pogner* par un humain. Quelle honte pour son espèce !

La joie que ça m'a apportée est sans commune mesure avec le réel avantage que j'ai pu en tirer. C'est que tous les impunis du monde finissent par se faire prendre. Qu'il s'agisse des ripoux libéraux de la Commission Gomery, des manigançeux de guerre de la *gang* de Bush, des fomenteux de ZLEA qui se font dire non en Argentine, des écriveux de manifestes de privilégiés qui réussissent à réveiller la gauche, on est souvent réduits à les regarder faire comme Mimine, impuissants.

Mais vient toujours un moment où ils sont tellement habitués à ne pas se faire prendre qu'ils se rentrent la tête juste un peu trop profondément dans le sac…

Hier, j'ai *pogné* un écureuil. Il y a de l'espoir…

Le vote d'Adelbert

C'est une histoire vraie qui m'a été contée par René Dupéré, le compositeur, entre autres, de la musique du Cirque du Soleil, que je remercie de m'avoir permis de vous la livrer et de broder les détails que je ne connaissais pas.

C'est la première fois que je connais le sujet d'une chronique si longtemps d'avance. C'est que ça a rapport avec le 15 novembre. Il y a 29 ans, c'est le jour où le Parti québécois prenait le pouvoir pour la première fois. Comme les membres du PQ actuel, après des semaines de déchirements, se prononcent ces jours-ci sur leur nouveau chef et qu'il sera élu justement à cette date anniversaire qui approche, l'histoire était doublement pertinente.

C'est l'histoire d'Arthur, le père de René Dupéré, et de son *chum* Adelbert Beaulieu. Arthur et Adelbert sont les meilleurs amis du monde. De vrais complices. Ils font tout ensemble, ils prennent une bière, vont à la pêche, se livrent leurs confidences. Arthur a besoin d'un coup de main pour travailler sur la maison? Adelbert est là. Adelbert a besoin d'aide pour réparer son char? Arthur lui prêtera main-forte. Et bien sûr, ils partagent toute une panoplie d'*inside jokes* et de souvenirs.

Mais il y a une ombre au tableau de cette amitié. La politique. Arthur est un ancien libéral qui a suivi René Lévesque sur le chemin de l'indépendance. Récemment converti, peut-être, mais profondémment.

Adelbert, lui, est Union nationale, un fédéraliste convaincu, et pour qui les péquistes sont une véritable plaie. Alors, entre les deux, quand le sujet glisse vers la politique, ils finissent inexorablement par se *pogner*. Ils s'engueulent et sont même allés quelquefois jusqu'à se tirailler tant leur sang bouillait de se trouver confrontés à un être si proche et qui, pourtant, s'opposait à leurs convictions idéologiques les plus profondes.

À la suite d'une dispute politique, les deux vieux *chums* pouvaient être des semaines sans se parler. Mais comme ils ne pouvaient pas se passer l'un de l'autre bien longtemps, ils finissaient par se raccommoder, faisant semblant que rien ne s'était passé. À un moment, tacitement, ils ont fini par éviter le sujet. Entre Arthur et Adelbert, on ne parlait pas de politique. Et l'entourage était prévenu.

En 1976, Arthur Dupéré est gravement malade. Sa famille le soutient, soudée, dans sa longue agonie. Vers la mi-novembre, il décède. Il se trouve exposé au salon mortuaire le 15. Évidemment, toute la famille est en deuil. Mais en même temps, il y a de la fébrilité dans l'air. C'est jour d'élections, et peut-être que le PQ a enfin une chance de rentrer. Comme toute la famille est indépendantiste, on attend les nouvelles, on s'informe en douce auprès des militants qui viennent rendre un dernier hommage à leur collègue. Ça les fait un peu oublier leur peine.

C'est dans cette atmosphère qu'arrive Adelbert. Il vient voir son ami une dernière fois. D'emblée, il s'approche de Mme Dupéré. Mais il ne lui offre pas ses condoléances. D'un air grave, il lui dit: «Votre mari a voté aujourd'hui.» Interloquée, la veuve se demande ce que ça veut dire. Adelbert précise: «J'ai voté PQ.»

Il n'avait pas changé d'idée. Il est resté fédéraliste toute sa vie. Ce geste était son dernier hommage. J'ai souvent entendu des vieilles histoires d'élections où on faisait voter des morts. C'est la plus belle que je connaisse, et ce n'est pas à cause du bord où s'est retrouvé le vote.

Après leur élection déchirante, après les *bitcheries* et les coups bas, les membres du PQ feraient mieux de s'inspirer d'Adelbert. Au-delà des allégeances politiques, au-delà même des idées, il y a l'amitié.

Comme ce sera bientôt l'anniversaire de mon rouge oncle Raymond, j'en profite pour lui en souhaiter un beau et, tiens, je lui souhaite de rester en santé pendant très très longtemps…

L'ère Boisclair

À en croire les sondages, André Boisclair pourrait avoir le même effet convaincant sur l'électorat que René Lévesque. Je n'en suis pas si sûr. Puisqu'il n'a donc finalement été question que d'image, dans cette course à la *chefferie*, parlons-en, de l'image. Après tout, si c'est si important, c'est que l'image doit révéler quelque chose d'essentiel.

Boisclair est rutilant. Il est comme un char neuf. On l'a comparé à John F. Kennedy. Moi, je ferais plutôt le rapprochement avec deux autres John : Kerry et Travolta. De John Kerry, il a les phrases tarabiscotées et désespérément longues. Il a beau être jeune, Boisclair est le parfait exemple du technocrate. On dirait un Clinton qui tenterait de feindre l'émotion. J'ai déjà dit que ce gars-là ne prend pas des vacances en Gaspésie, il procède à une décentralisation de son temps-loisir vers les régions-ressources côtières.

À un concours du genre « Miss PQ » comme celui auquel on vient d'assister, où il lui a suffi de bien paraître et de dire qu'il veut l'indépendance du Québec et la paix dans le monde, il est facilement champion. Mais face à un ennemi comme Charest, féroce batailleur, cent fois plus *bitch* dans ses réparties que Marois ne pourra jamais l'être, ce sera autre chose… Le gars est tenace, il faut lui donner ça. Peut-être apprendra-t-il.

Ce qui le sauve, c'est le *smile*. C'est ça, le côté Travolta. Si on pouvait facilement imaginer Jacques

Parizeau en général au front, Lucien Bouchard en chasuble à l'église et Bernard Landry médaillé à l'Académie, on imagine plus André Boisclair prendre le centre d'un plancher danse en dessous d'une boule en miroir. On peut facilement l'imaginer aussi répétant ses discours devant un miroir et se trouvant beau. Remarquez, on a eu notre lot de politiciens qui s'écoutaient parler. Comme on est à l'ère de l'image, on en a enfin un qui se regarde aller.

Une chose est sûre, la stratégie de l'attaquer sur sa consommation de cocaïne ne donnera rien. Ça risque seulement de le renforcer. Je me demande même si, ultimement, ce n'est pas ce qui le fera gagner. Il y a bien sûr une part de l'électorat qui désapprouve fortement l'usage de drogues et qui ne pourra pas voter pour lui, soit. Mais ces gens-là se sont déjà rangés. Pour la majorité pécheresse des citoyens, surtout dans une génération où tout le monde a déjà pris quelque chose, l'acharnement de journalistes ou d'opposants sur ces « erreurs du passé » les font se sentir attaqués personnellement. Ils finissent par s'identifier à Boisclair qui a, comme eux, surmonté ça. Si les attaques se multiplient sur ce front, ils peuvent même en venir à passer par-dessus leurs divergences idéologiques avec le nouveau chef et se dire : « À un moment donné, ça va faire. Lâchez-le. En tout cas, moi, je vais voter pour lui juste pour vous la fermer. » L'effet Clinton, en quelque sorte.

Son homosexualité aussi sera un avantage. On savait déjà que personne ne l'attaquerait là-dessus, et ça, c'est un grand progrès. Mais la rectitude politique ambiante fait aussi que tout ce qui aura l'air d'une attaque là-dessus sera réprimandé. Ça fait des années que, quand j'imite Charest, je lui donne une démarche *guidoune*, et ça fait rigoler tout le monde parce que c'est vrai qu'il a un peu de ça. Comme personne ne soupçonne

Charest d'être de l'autre bord, ça passe. Mais si on tentait de caricaturer Boisclair avec ne serait-ce qu'un soupçon de tapette, on passerait pour de méchants homophobes. Pourtant, il a un peu de ça aussi...

Remarquez, la société est hypocrite là-dessus. Personne n'est homophobe, mais je parie sur une chose : pendant la prochaine campagne électorale, on ne verra jamais André Boisclair donner un bec à son *chum*. Mais *tchèquez* ben Jean Charest. Michou ne sera jamais loin. Et la compagne de Mario Dumont se montrera sûrement enfin... Et le mot « famille » reviendra souvent dans leurs discours. Maintenant, si Boisclair pouvait se trouver un conjoint juif anglophone qui a déjà eu des enfants avant de sortir du placard et que ses bambins adorent le nouveau *chum* de leur papa, *watch out* ! C'est ça les nouvelles conditions gagnantes...

Équipe Québec

Gilles Duceppe, grand amateur de sport et surtout de baseball, a parlé de hockey cette semaine. Il a proposé que le Québec puisse avoir une équipe distincte, bien à lui, dans certaines compétitions internationales de sport, au hockey et au *soccer*. Le cas existe déjà pour l'Écosse et l'Irlande du Nord au Mondial de *soccer*, par exemple.

L'idée n'est pas nouvelle. Elle avait d'ailleurs été lancée la première fois par nul autre que Me Guy Bertrand, au milieu des années 80. Le Québec comptait alors nombre d'illustres représentants dans la Ligue nationale de hockey. À l'époque des tournois Coupe Canada, l'amateur Québécois, même dilettante, ne pouvait pas faire autrement que s'amuser à imaginer ce qu'aurait pu être l'alignement d'Équipe Québec. Avec un premier trio formé de Michel Goulet, Mario Lemieux et Mike Bossy, un deuxième avec au centre un Denis Savard au sommet de sa forme, une défensive menée par Raymond Bourque et Kevin Lowe, et devant le filet, un certain Patrick Roy, le Québec aurait vraiment eu une chance de rafler tous les honneurs.

Vous imaginez-vous ce que ça aurait pu être comme moment unificateur pour le Québec que de voir une équipe arborant la fleur de lys battre le Canada ou l'URSS en finale ? Il n'y aurait plus eu de fédéralistes ni de souverainistes. Il n'y aurait eu que des Québécois qui gueulent comme des malades dans les gradins, se font des *high-five* et se sautent dans les bras.

La valeur du sport pour le *nation-building* n'est plus à démontrer. Le film sur Maurice Richard est là pour nous rappeler que ce fut particulièrement le cas au Québec. Aujourd'hui, la compétition des joueurs européens est plus forte et le contingent de vedettes québécoises est moins impressionnant. N'empêche, Mario Lemieux est encore là. Il y a Vincent Lecavalier, Simon Gagné, Daniel Brière. Comme l'a fait remarquer l'amateur de sport Duceppe, on serait fort devant les buts avec Brodeur, Luongo et Théodore à se disputer le poste.

Peu importe le sport, les compétitions qui mettent en jeu des équipes nationales suscitent un intérêt décuplé. Les joueurs y jouent autrement qu'en mercenaires. Et on prête souvent aux équipes de sport de représenter l'âme d'un peuple. Il est toujours risqué de faire des amalgames et des généralisations. Il y a des Anglais exubérants, des Italiens pragmatiques et des Camerounais cartésiens. N'empêche, quand on réunit des joueurs issus d'une même nation dans une équipe, il en ressort un caractère auquel les citoyens de cette nation s'identifient. On a parlé du football d'ingénieurs de l'équipe allemande, par rapport aux architectes français et à la samba du Brésil. On a beau être dans le puéril domaine du sport, on est au cœur du sens même de la notion d'État.

Tout est là. Veut-on une médaille d'or canadienne ou le plaisir de suivre avec passion une équipe québécoise qui se battra peut-être pour le bronze avec la Suède ? Veut-on voir trois ou quatre francophones porter la feuille d'érable, ou trois ou quatre anglophones porter la fleur de lys ? Veut-on donner la chance à des joueurs qui n'auraient pas fait partie de l'excellente équipe canadienne de s'élever en se frottant à la compétition internationale ? Veut-on avoir la chance de montrer au monde le nouveau visage du Québec avec ses Ribeiro, Théodore, Luongo, Bouillon et Laraque?

La République tchèque a gagné plusieurs tournois internationaux. Pourtant, quand on regarde les vedettes tchèques dans la Ligue nationale, ça se compare aux vedettes québécoises. Qu'est-ce qui a fait la différence? Le talent, bien sûr, ça aide quand on a Dominik Hasek comme gardien de but, mais aussi l'esprit d'équipe, cette petite mystique qui réunit des hommes d'une même *gang* pour un même objectif, ne serait-ce que *scorer* plus de buts que les autres.

Mais en y repensant, Duceppe devrait faire attention. C'est peut-être une idée fédéraliste que de permettre de former une équipe québécoise. En effet, si les Québécois avaient la chance de gagner un tournoi de hockey tous les quatre ans, peut-être bien qu'ils ne voudraient rien avoir de plus...

La chrétiennite de Paul Martin

Souvenez-vous, il n'y a pas si longtemps, quand Jean Chrétien régnait sur le Canada, Paul Martin passait pour le gentil, celui qui est au-dessus des petites manœuvres comme les commandites, celui qui comprend le Québec, celui qui saura faire bénéficier notre économie d'un réchauffement de nos relations avec les États-Unis. Au début, Martin avait tellement la cote que les libéraux eux-mêmes, après pourtant trois victoires électorales consécutives, ont expulsé ce vieux politicien bagarreur de Jean Chrétien pour faire place au professionnel moderne.

Enfin, nous ne serions plus représentés par ce clown gênant de petit gars de Shawinigan. C'est pour ce nouveau leadership que Jean Lapierre a quitté son confortable siège de commentateur chipie à TQS pour revenir à la politique et ainsi compléter son triple boucle *chiqué*. Il y allait avoir du changement à Ottawa !

Mais voilà, Paul Martin est aujourd'hui atteint de chrétiennite aiguë. Il devient peu à peu identique à Jean Chrétien, le style rigolo en moins. Le premier symptôme de la chrétiennite de Paul Martin a été l'empiètement. C'est une maladie fédérale très commune, qui embrouille la vision du fédéralisme et fait marcher tout croche, droit dans les champs de compétences provinciaux.

On n'a pas remarqué tout de suite parce que Martin a été atteint d'une autre forme d'empiètement que Chrétien. Chrétien faisait de l'empiètement sous sa forme éruptive, visible, comme les bourses du millénaire et les commandites. Martin, lui, est atteint de la forme sous-cutanée de l'empiètement. Ça se manifeste par des programmes d'infrastructures avec les municipalités et par un déséquilibre fiscal chronique qui affecte la capacité d'évaluer les surplus. C'est un peu comme de la rétention d'eau avec nos impôts. Le résultat est que le gouvernement finit par être plus actif dans les champs de compétences provinciaux que dans ses propres responsabilités. La santé, les congés parentaux, les garderies, l'éducation, les villes… C'est comme si le Parti libéral faisait campagne au provincial !

Puis, il y a eu un raidissement de la position constitutionnelle. D'abord, il avait très tièdement appuyé la Loi sur la clarté et semblait moins enclin à faire une fixation sur les « méchants séparatistes ». Soudain, on le voit refuser au Québec toute présence sur la scène internationale et déclarer que cette élection est pratiquement référendaire en se présentant comme le sauveur du Canada. Les séparatistes sont aux libéraux du Canada ce que les terroristes sont aux républicains américains.

Cette sclérose constitutionnelle dégénérative est très contagieuse, surtout auprès de l'aile québécoise, qui semble génétiquement prédisposée. Elle fait voir du racisme et de la xénophobie dans tout ce qui est indépendantiste. Pettigrew n'arrête pas de revenir là-dessus. Elle affecte d'ailleurs le langage, un peu comme le syndrome de Tourette. On a entendu Lapierre parler du petit côté « naziste » de Gilles Duceppe. C'est ce qu'il a dit, « naziste ». Comme si, en lâchant le mot, même lui s'était rendu compte que c'était vraiment trop gros, que ça pourrait se retourner contre lui et qu'il avait tenté de l'amender au passage. Ça a donné le « naziste ». Pour qu'un libéral se mette à dos le B'Nai Brith, il faut vraiment qu'il ait dit une grosse connerie…

Mais l'empiètement et la sclérose constitutionnelle ne sont que les premiers stades de la chrétiennite. En phase terminale, le sujet développe une résistance aux Américains! Souvenez-vous de Chrétien, quand il a décidé qu'il n'embarquerait pas dans la guerre en Irak et qu'il a commencé à insinuer que les États-Unis pouvaient être quelque part responsables de la montée du terrorisme. On savait que l'homme était condamné…

C'est maintenant la même chose pour Martin. Il y avait eu un premier épisode sur le bouclier antimissile, qu'on croyait en rémission. Mais cette semaine, on l'a vu semoncer sévèrement George W. Bush sur le bois d'œuvre mais aussi sur l'environnement, devant la visite venue du monde entier. Là, c'est grave. Peut-être que la fièvre pourra le porter un certain temps. Mais, à court ou à long terme, quand on voit ça, on se dit que le malade n'en a plus pour très longtemps…

La chrétiennite, en fait, est une mutation de la trudeauite. C'est une maladie nosocomiale du parlement du Canada. Ça doit être le siège de premier ministre qui est contagieux.

17 décembre 2005

• • •

Table des matières

CET OUVRAGE
COMPOSÉ EN MINION CORPS 12 SUR 14
A ÉTÉ ACHEVÉ D'IMPRIMER
EN JANVIER DE L'AN DEUX MILLE SIX
PAR LES TRAVAILLEURS ET TRAVAILLEUSES
DE TRANSCONTINENTAL GAGNÉ À LOUISEVILLE
POUR LE COMPTE DE LANCTÔT ÉDITEUR

IMPRIMÉ AU QUÉBEC (CANADA)